平凡社新書
992

イラン

「反米宗教国家」の素顔

新冨哲男
SHINTOMI TETSUO

HEIBONSHA

イラン●目次

はじめに

群衆で埋め尽くされた目抜き通りで、星条旗に火が放たれた。

炎は乾いた音を立てながら広がり、煙の臭いが漂う。その様子を見つめる人々の中には、頭にターバンを巻き、顔に豊かなひげを蓄えたイスラム聖職者がいる。全身を漆黒(しっこく)のベールで覆った女性の集団は、一様に険しい表情を浮かべている。

「マルグ・バル・アメリカ（米国に死を）！」

ペルシャ語のスローガンが、繰り返し叫ばれた。向こうの交差点では、軍事車両に搭載された弾道ミサイルの巨大な胴体が鈍い光を放っている。射程は最長で、中東のほぼ全域をカバーする約2000キロ。日本が保有する射程百数十キロの現行ミサイルよりもはるかに遠くまで到達し、国境を越えた敵の拠点を正確に攻撃した実績もある。対立関係にある国々にとっては、大きな軍事的脅威だろう。

中東の地域大国イランで、かねて恒例行事となってきた反米デモの光景だ。

この国では1979年、イラン革命で親米の王政が崩壊し、世界史上類を見ない「イスラム共和制」が樹立された。イスラム教義に基づき、イスラム聖職者が国家を運営する政教一致の統治体制だ。社会の自由や女性の権利には、強い縛りがかけられた。「反米」の国是を掲げ、米国を「大悪魔」とも糾弾した。

そんなイランを安全保障上のリスクと捉えた米国は、国交を断絶し、「テロ支援国家」に指定した。ジョージ・ブッシュ（子）政権下の2002年には、北朝鮮、イラクと並ぶ「悪の枢軸（すうじく）」と断じた。

星条旗には、米国の歴史や自尊心がぎっしりと詰まっている。デモ現場の一コマは、欧米諸国が共有してきた価値観とは一線を画し、世界きっての超大国にさえ公然と牙をむく「反米宗教国家イラン」の象徴的光景として、繰り返し報じられてきた。

根強いイラン脅威論

多国間外交を軽視する「アメリカ・ファースト（米国第一）」を掲げ、対イラン敵視政策を推進したドナルド・トランプ米政権下（2017年1月〜2021年1月）、イラン情勢は極度に悪化した。

「イランは世界最大のテロ支援国家だ」

「暴力と流血、混乱を輸出する、ならず者国家に成り果てた」

辛辣（しんらつ）な批判を繰り返すトランプは大統領就任後、イランに対して外交的・軍事的な圧力を次々とかけた。

イラン情勢の緊迫が決定的となったのが、2018年5月にトランプ政権が「イラン核合意」から一方的に離脱し、強力な米制裁を復活させたことだ。イラン核合意とは、米国、英国、フランス、ドイツ、中国、ロシアの6カ国とイランの間で結ばれ、イランが経済制裁解除と引き換えに核開発制限に同意した多国間の枠組みを指す。バラク・オバマ米政権時代の2015年7月に実現し、かねて核兵器開発疑惑が浮上していたイランが核武装に至る道筋を閉ざしたというのが、当時の国際的な評価だった。

米国の一方的離脱にイランは猛反発し、国際社会が危ぶむ核開発拡大路線へと再び舵（かじ）を切った。双方の応酬には歯止めが掛からなくなり、米イラン関係は急な坂道を転げ落ちるかのようなありさまだった。

米国は軍事組織「イラン革命防衛隊」を、他国の国家機関としては初の「テロ組織」に指定した。革命防衛隊の英雄ガセム・ソレイマニ司令官を、イラクの首都バグダッドで暗殺した。革命防衛隊は報復に打って出て、イラク国内にある米軍の駐留拠点を十数発の弾道ミサイルで攻撃した。ウクライナ国際航空の民間旅客機を誤ってミサイルで撃墜する惨劇も引き起こした。イラン沖のペルシャ湾・ホルムズ海峡付近では、日本の海運会社が運航するタンカーが攻撃され、日本社会にも強い動揺が広がった。中東における安全保障環境の悪化は世界的な注目を集め、「第3次世界大戦」勃発のリスクさえ公然と語られた。

そして2021年1月20日、米国の政権交代でイラン情勢は新たな局面に入った。ジョー・バイデン新米大統領はトランプ外交との決別を宣言し、破綻寸前となっていたイラン核合意への復帰に向けて模索を始めた。一触即発の危機は、かろうじて回避されたかのように見える。

とはいえ、イラン情勢が今後も予断を許さないのは疑いない。米国内でイラン脅威論は党派を問わず根強い。バイデン政権はイラン核合意への無条件復帰に慎重で、イランによる弾道ミサイル開発や中東各国の親イラン民兵組織支援についても座視しない方針だ。イランでは2021年8月、国際社会との対話に前向きな姿勢を示してきた穏健派ハッサン・ロウハニ前大統領が退任し、反米保守強硬派イブラヒム・ライシ政権が誕生した。イランは当分の間、中東情勢の台風の目であり続けるだろう。

そんなイラン情勢が、遠く離れた日本とも地続きなのは確かだ。

日本は米国の主要同盟国であり、同時にイランの伝統的な友好国でもある。歴史的に欧米とのわだかまりを抱えてきたイランからすれば、極めて独特な存在感を放っている先進国に他ならない。問題解決のため、日本が動くことのできる余地は少なからずある。実際にトランプ政権時、安倍晋三首相（当時）は米イラン間の仲介外交を試み、難渋しながらも諸外国から注目を浴びた。

日本が世界第3位の経済規模を誇りながら、多くのエネルギー資源を輸入に頼る資源小国であることも大きい。特に原油輸入については、実に約9割を中東地域に依存する。イランは豊富な原油、天然ガスを抱える資源大国である上、沖合に位置するホルムズ海峡は原油輸送の大動脈だ。現場一帯の安全が損なわれれば、日本経済への影響は計り知れない。

事実の一端を改めて示したのが、2018年に米国が対イラン経済制裁再発動に踏み切った時だった。日本国内の燃料費の相場はあおりをもろに食らい、レギュラーガソリン1リットル当たりの全国平均小売価格は約4年ぶりに160円台の高値を付けた。

イランという中東の大国は、日本がこれまでもそうであったように、今後も末永くしっかりと付き合っていかなければならない存在なのだ。

イランは「ならず者国家」なのか

その一方で、イランほど生身の姿を捉えにくい国は他にないのかもしれない。現地では厳格なイスラム体制下、一定の報道制限が敷かれている。イランとの利害関係をそれぞれに持つ諸外国のリーダーからは批判もあれば称賛もあるが、一つ一つに政治的な意図が含まれているため、真偽を見極めるのは容易ではない。

イランは危険な国なのか。そもそも、イランとイラクって、どっちがどっちだっけ。そうした素朴な疑問から出発せざるを得ない日本人も多いと感じる。中東地域が地理的に遠い上に、現地発の情報が乏しい点も踏まえれば、ある意味当然なのかもしれない。

日本の報道機関で現在、イランに記者を常駐させているのは、朝日新聞、読売新聞、共同通信、NHKの4社だ。私は共同通信の特派員として、2016年7月から2018年8月にかけての約2年間、首都テヘランに生活拠点を構え、主に日本の新聞社や放送局に流すための記事を執筆してきた。

前述の通り、イラン情勢はその間、浮沈が著しかった。当初はイラン核合意と制裁解除の熱気に満ちあふれていた現地は、トランプ政権の発足以降、刻一刻と緊張の度を増していった。アメリカ・ファーストで国際社会の分断が深まったトランプ時代下、最も激しく翻弄され続けたという点で、イラン社会は現代世界の裏面史とも言えた。

理解が一筋縄にはいかない国だからこそ、現場に立って分かること、現場でなければ気付けないことを大切にしよう。そう思い定め、テヘラン駐在中は誰よりもさまざまな場所に足を運ぶことにこだわった。地元記者しかいない些末（さまつ）な記者会見、表通りの喧噪を離れたバザール（市場）の屋根裏、敬愛を集めたイスラム聖職者の葬儀、貧者が仕事を求めて集う路上の「寄せ場」、さびれた片田舎の台所、亡命イラン人が肩を寄せ合う近隣国の酒場……。結局はニュース配信に直結せず、仕事の本筋からすれば徒労に終わった取材であっても、人々の息づかいや生活のにおいにじかに触れてみたいとの一念だった。

現地探訪を続け、できるだけ人と会ってみて、胸の内を聞かせてもらう。その作業を繰り返すにつれ、いくつものはっとさせられるような発見があった。イラン革命から約40年を経て、「教条的」とされていた世相は大きく様変わりしていた。米制裁再発動で最も深刻な影響を受けていたのは、政治とは無縁の社会的弱者だった。かつて対米断交の呼び水ともなった事件で実行犯グループを率いた指導者は、時代の流れとともに考えを改め、対立の緩和に向けて暗中模索を続けていた。家族や友人を愛し、風雪に耐えながら泣き笑いする人々の姿は、同時代を生きる日本人とも通底するものがあった。

イランという国名を耳にすれば、多くの外国人は冒頭の反米デモのワンシーンを思い浮かべるかもしれない。でもそれは、多様なグラデーションを描くように存在するイランの一断面でしかない。米国への憎悪を叫ぶ群衆から、カメラには写らない片隅へと目を転じてみれば、自分の意思とは関係なく動員された女子高生らが控えめな照れ笑いを浮かべている。

本書では、取材現場で出会った人々のヒューマンストーリーを軸に「イランの今」を報告する。世の中に何となく流布しているイメージとはひと味異なった素顔が数多く含まれているはずだ。イラン現代史をはじめとした舞台背景、自然災害や大規模テロといった最近の重要ニュース、日本にまつわる秘話についても、ゆかりの深い関係者の姿を通じて迫ってみたい。

情勢緊迫のニュースで連日大きく取り上げられ、これまでなじみのなかったイランのことが何となく気になっている。米制裁が解除されてイランビジネスのチャンスが再来する瞬間に備え、情報収集をしておきたい。イランの政治や外交については既に熟知しているが、ここ最近で現地がどんな雰囲気になっているのかも関心事だ。そういった方々に、ぜひ本書を手に取っていただきたい。

イランははたして、トランプがラベリングしたような「ならず者国家」なのか。捉えどころが難しい現地社会の実像とは。バイデン政権発足で再び動き出したイラン情勢に、私たちはどう向き合っていけばよいのだろうか。単純明快な「解」が存在しない難問ばかりではあるが、ヒントをたぐり寄せるための一助になることを願う。なお、登場人物の年齢は取材時のものであることを付け加えておく。

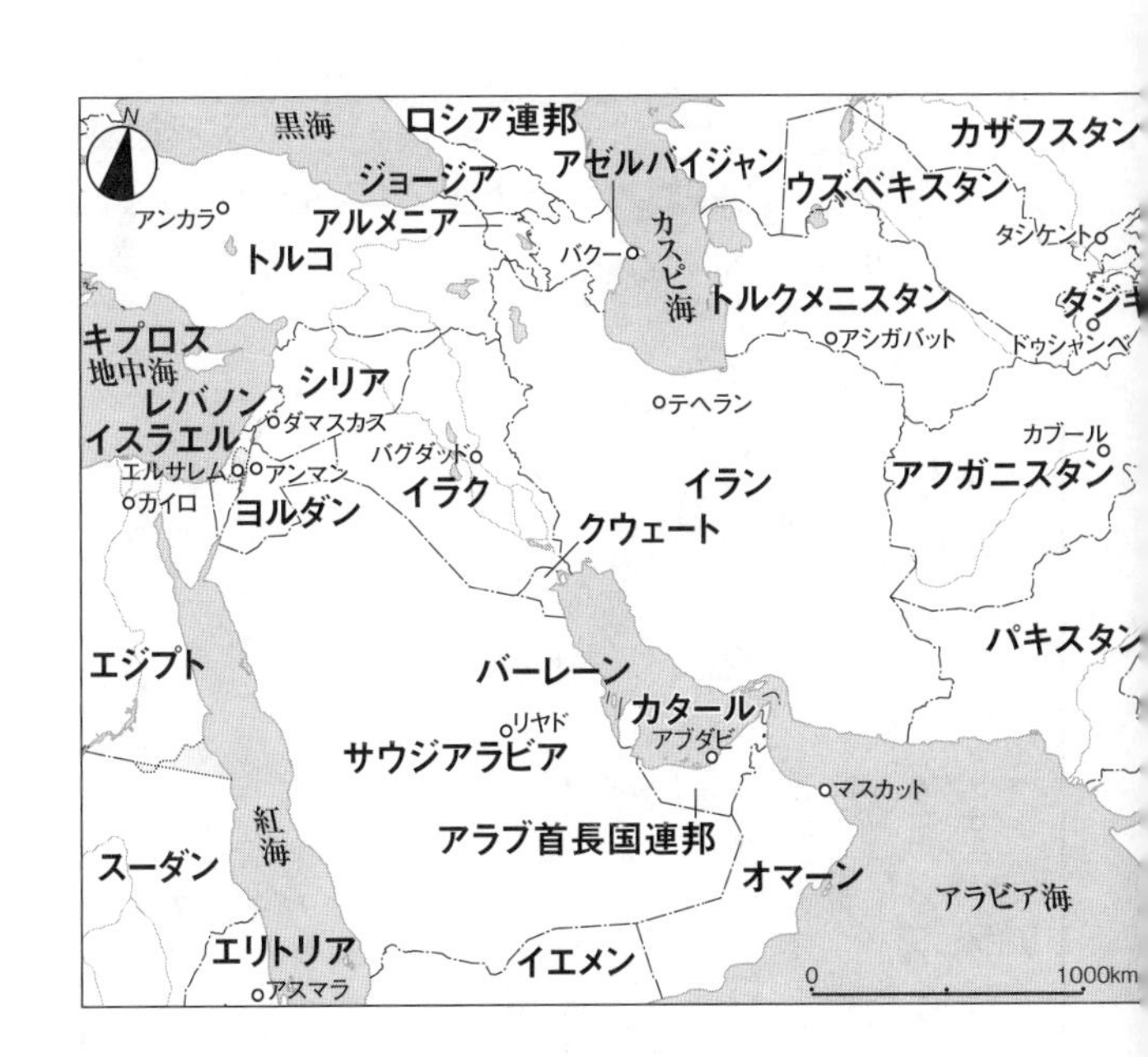
N
黒海
ロシア連邦
カザフスタン
アゼルバイジャン
ジョージア
ウズベキスタン
アンカラ
アルメニア
タシケント
トルコ
バクー
カスピ海
トルクメニスタン
タジキ
キプロス
アシガバット
ドゥシャンベ
地中海
シリア
レバノン
テヘラン
ダマスカス
イスラエル
カブール
バグダッド
エルサレム
アンマン
イラン
アフガニスタン
カイロ
イラク
ヨルダン
クウェート
パキスタン
エジプト
バーレーン
カタール
リヤド
アブダビ
サウジアラビア
マスカット
紅海
アラブ首長国連邦
スーダン
オマーン
アラビア海
エリトリア
イエメン
アスマラ
0
1000km

イラン全図
N
バクー
アゼルバイジャン
アルメニア
トルコ
トルクメニスタン
カスピ海
タブリーズ
アシガバット
ウルミエ湖
エルブルズ山脈
サルダシュト
ヌール
バネ
アラム・クー山
マシャド
ダマバンド山
テヘラン
フォルドゥ
サルポレザハブ
カビール砂漠
ケルマンシャー
コム
アラク
カシャン
アフガニスタン
バグダッド
ナタンズ
イ ラ ン
イスファハン
イラク
ザグロス山脈
ヤズド
アザデガン油田
アバダン
シラーズ
ペルセポリス
クウェート
ブシェール
バム
サウジ
アラビア
パキスタン
バンダルアバス
ペルシャ湾
ホルムズ海峡
バーレーン
カタール
アラブ
首長国連邦
チャバハル
オマーン
オマーン湾
リヤド
0
400km

第1章 混迷するイラン情勢の行方

テヘラン市内のタワーから市街地を望む

「トランプ・ショック」が弱者直撃

「本当にごめんなさい。あなたたちの給料を支払えなくなってしまって……」

下町の小さな町工場で、従業員４人を前に一時解雇を通告する際、女性経営者レイラ・ダネシュバ（37）は涙が込み上げた。

２０１８年初夏の出来事を、彼女は決して忘れない。福祉機器の生産ラインで一緒に汗を流してきた従業員たちのことは、家族同然のように思ってきた。まさか、こんな日が来るとは。悔しく、情けなかった。でも、たとえ自分が辣腕のリーダーだったとしても、この窮地を打開することはできただろうか。

イランの首都テヘランは、昼夜喧噪が絶えることのない大都会だ。国内の総人口約８４００万人のうち１割強に当たる９１３万５０００人（２０２０年推定）が集中し、街は絶えず形を変えながら膨張を続けている。標高１０００メートル台に位置し、地形的にアップダウンの激しい市街地には、大小さまざまな道路が毛細血管のように張り巡らされている。まるで交通ルールなど存在しないのだと言わんばかりに、中古のトラックやオートバイが排ガスを撒き散らし、融通無碍に行き交う。猥雑な路地裏の一角で、レイラは福祉機器の製造工場を切り盛りしていた。

「体が不自由な人が心置きなく人生を楽しめるよう、支えになりたい」。女性の進出が遅

福祉機器の製造工場を営むレイラ・ダネシュバ（写真中央）

れた製造業界で、レイラが一念発起するに至った初心だ。日本や欧米諸国と比較すると、イランはバリアフリーの取り組みが全くと言っていいほど進んでいない。車椅子や歩行補助器といった福祉機器で流通しているのは、高額な外国製品ばかり。助けを必要としている身体障害者や高齢者の多くは、福祉機器を購入できるだけの経済的余裕がなかった。自立した生活を送れず、泣き寝入りを強いられる彼らの姿に、レイラは心を痛めてきた。

　物心ついたころには、モノ作りの仕事に憧れていた。父は自動車修理工だった。複雑に組み合わさったパーツを相手にテンポよく作業する父の背中を、飽きることなく眺めた。優秀な理系の人材が集まるインドの大学に留学し、男子学生ばかりのクラスで機械工学を専攻した。イランに帰国後、一旦は社会経験を積んだ上で、２０１３年に起業した。日本風に言えば「リケジョ」のフロントランナーだ。右を見ても左を見ても男性経営者ばかりだったイランの福祉機器業界で、町工場のオペレーションを仕切る初の女性社長として注目された。

とはいえ、新規参入の工場経営者という職業は、決して派手な世界ではない。予算は限られ、従業員数はわずか10人あまり。潤沢とは言えない経営資源の中で、経済的に恵まれない要介護者に福祉機器を届けるためには何をすべきだろう。思案の末に辿り着いた答えが、業界内では珍しかった自前の生産ライン整備だった。これによって、外国製部品を調達して組み立てる従来の手法と比べ、製造コストを大幅に圧縮できる。手ごろな値段で買うことのできるレイラの町工場の製品は、イランの高齢者や障害者に歓迎された。母として子育てにも追われながらの生活は多忙だったが、ユーザーのことを第一に考えた良心的経営を心掛けてきた。

そんなレイラのような小規模事業者が「世界とつながることができた瞬間」が到来する。２０１５年7月のイラン核合意だ。米国、英国、フランス、ドイツ、中国、ロシアとの交渉の末、イランが核開発の制限に同意。その見返りとして、核兵器開発疑惑に伴う国際社会の対イラン経済制裁が２０１６年１月に解除された。世界各国の企業にとって、事実上のイランビジネスの解禁だった。

まもなく、レイラの町工場経営は軌道に乗り始めた。企業理念に共感した北欧スウェーデンの実業家が多額の出資に同意してくれた。ペルシャ湾岸カタールの企業とは、大口の売買契約も成立した。外資参入をてこに苦しかった懐事情を克服しようとしていた矢先、突然飛び込んできたニュースに、レイラは茫然自失となった。

２０１８年5月、トランプ米政権がイラン核合意から一方的に離脱し、強力な米制裁を再発動すると表明したのだ。イランビジネスが事実上不可能になった大半の外国企業は、潮が引くように去っていった。せっかくの商談は水泡(すいほう)に帰し、町工場の経営はたちまち行き詰まった。

苦境のどん底であえぐイラン国民

「経済の先行き不安から、イランの通貨リアルが暴落したでしょう？　それで外国からの輸入ルートが停滞して、製品の原材料調達も難しくなってしまって……。ぎりぎりまで我慢したけれど、販売価格を2～3割上げるほかなかったの」

私がレイラと知り合ったのは、それからほどない２０１８年6月だった。大幅縮小した町工場の生産ラインの前で、ワインレッドのヘジャブ（髪などを覆う布）をまとった彼女は青息吐息だった。業界では新進気鋭とされてきた女性経営者も、なすすべもない様子だった。

傍らでは、町工場に残っていた若い女性従業員が、歩行補助用の金属製手すりに最後の仕上げを施していた。足の不自由な人たちに思いを寄せながらの、丹念な手仕事が光った。勤勉で有望な人材なのに、今後は彼女らを養っていけるかも心許なかった。

テレビニュースに映し出されたトランプは、米制裁再発動を発表する演説の締め括りとして、こんな言葉を述べていた。

「長い間苦しんできたイランの人々にメッセージを届けたい。米国民はあなたたちとともにいる。（イランで）独裁者が権力を握り、誇り高い国を人質に取ってから、40年が経過しようとしている」

レイラには、このフレーズがどうしても腑に落ちなかった。トランプは制裁の標的はあくまでイラン指導部であって、イラン国民ではないと強調する。本当にそうならば、なぜ自分たちは今、こうして苦境のどん底であえいでいるのか。福祉機器が手に入らず、救いの手を待っている社会的弱者に対し、どうして追い打ちをかけるようなまねをするのか。

それればかりではない。レイラはイラン核合意前の経済制裁下の時代を鮮明に覚えていた。高品質で安全・安心な医薬品や生活必需品は大半が輸入品だが、制裁のせいで入手困難だった。当時、幼い娘はアレルギー対応の外国製粉ミルクが欠かせなかった。なのに国内の在庫は枯渇気味で、レイラは血眼になって探し求めた。ベビー用品や薬を必要とする乳幼児や重病者にとっては、制裁再発動は人道上のピンチと同義になりうるのだ。

政治の対立が、市井の人々にいかに破滅的な影響をもたらしたか。レイラが直面した状況は、イランに「最大限の圧力」をかけたトランプ時代下で呻吟していたイラン国民の典型的な実例と言えた。

２０２１年1月、トランプの退場とともに就任したバイデン新米大統領は、イランとの歩み寄りに向けて外交努力を始めた。「ようやくだけど、私たちの国にもポジティブな変化がもたらされるかもしれない。ビジネスに少しだけいい兆候が見えてきた」。レイラは期待と不安の入り交じった電子メールを私に寄越したが、泥沼の経営状態から抜け出すまでには時間がかかりそうだった。

福祉のプロフェッショナルとして、この間も生きづらさを抱える身体障害者や高齢者に寄り添おうと身を粉にして働いてきた。再び平穏な日常を取り戻すことのできるその日まで、彼女が小さな町工場から米政府に訴えるメッセージは変わらない。

「経済制裁で最も苦しむのは、弱い立場で逃げ道もない人たちに他ならない。お願いだから、これ以上私たちを失望させないで」

人と人との絆さえも分断

イラン情勢が重大な分水嶺を迎えたのは、2期8年にわたった民主党オバマの大統領任期満了に伴う2016年11月の米大統領選だった。

「敵との対話」や多国間主義を信条としたオバマ政権の路線を継承する民主党ヒラリー・クリントンか。それとも、「米国を再び偉大に」をキャッチフレーズに、国際協調よりも自国の国益を優先する共和党トランプか。投開票前の下馬評を覆し、既存政治への失望を背景に大接戦を制したのはトランプだった。

2017年1月20日に第45代大統領に就任したトランプは、あらゆる意味で型破りのリーダーだった。政治家としての経験や地盤を持っていたわけではない。ホテルやカジノを全米展開してきた「不動産王」で、テレビ番組の司会を務める著名タレントとして一世を風靡(ふうび)した。伴侶はスロベニア出身の元モデル、メラニア夫人。選挙戦では一部のエスタブリッシュメント(既存の支配層)が米国の政治を牛耳っていると批判し、白人労働者層を中心とする支援者から熱狂的な人気を集めた。中南米からの移民を犯罪者扱いし、不法移民の流入阻止を目的にメキシコ国境での壁建設を掲げるなど、過激な主張で物議を醸した。

トランプがかねて口を酸っぱくして主張してきたのが、イラン敵視政策だった。長年の敵国イランに融和姿勢を取り、イラン核合意に署名したオバマ政権の中東政策を弱腰だと非難した。選挙で票になるからというのが主な動機とされ、これによって親イスラエル・反イランのキリスト教右派「福音派」の支持を固めることができた。聖書の言葉を厳格に守る福音派は、米国人の4人に1人を占めるとも言われていた。

アメリカ・ファーストを唱えるトランプは大統領就任後、アジア太平洋地域の経済連携協定「環太平洋連携協定」（ＴＰＰ）からの離脱を参加国に通知した。地球温暖化対策の国際的枠組み「パリ協定」からも離脱を表明した。それら一連のオバマ政権のレガシー（遺産）潰しにおいて、意地を懸けた大一番となったのが、イラン核合意からの離脱だった。

世界の頂点に君臨する米国の針路を大転換したトランプ政権の誕生は、イランに何をもたらしたのか。現地で起きていたのは、経済制裁再発動に起因する国民生活の苦境ばかりではない。排外主義的な米政策は、人と人の絆さえも分断していた。

家族を引き裂いた米国入国規制

ソファの上で体をぴたりと寄せ合い、穏やかにほほ笑む４人。スマートフォンの液晶画面に浮かび上がる写真には、憩いのひとときを過ごす家族の幸せがいっぱいに詰まっていた。一家の大黒柱サイード（仮名）と私は、テヘラン北部のステーキレストランで夕食を共にしていた。２０１７年２月。トランプ政権発足後、まもなくのころだ。

サイードはテヘランを拠点にビジネスを手掛ける若きイラン人実業家だった。多忙な仕事をこなしながらも時間をやりくりし、妻や幼い娘２人が移住した米国との間を往来してきた。テーブル越しの表情は、家族写真の笑顔とは対照的に浮かなかった。無理もない。米国で新たに始まった一部イスラム圏からの入国規制措置が、彼の生活を直撃していたのだ。

入国規制措置は、トランプが大統領就任直後の2017年1月、鳴り物入りで打ち出した。措置の内容は、イラン、イラク、シリア、イエメン、リビア、スーダン、ソマリアの7カ国（のちに一部を変更）を対象に、米入国を一時禁止するというものだ。

トランプ政権の狙いは、世界各地で大規模テロが相次いでいた治安情勢を踏まえ、イスラム過激派などが米国に流入するのを水際で食い止めることだった。とはいえ、米国は歴史的に自由や平等といった理念を掲げ、「移民の国」として多様性を重んじてきた。入国規制措置は米国の変容を世界に印象付けた。

7カ国からの渡航者は米国への扉を突然閉ざされてしまい、たちまち周章狼狽の事態に発展した。米空港では入国許可が下りない国際便の乗客が立ち往生し、一時的に拘束された。心臓に先天性の疾患があるために米国で手術を予定していた生後4カ月のイラン人女児は、早期に手術しなければ生命の危険があったが、出発後に自宅に引き返さざるを得なかった。

「困っていることはないか」「できることがあれば、何でも言ってくれ」。世話好きなサイードは、異文化生活に戸惑ってばかりの私のことを何かと気に掛けてくれた。目の前に仕事が積み重なっていた時は、狭量ながら無用の親切だと思ったこともあったが、いつも心に温かいものを感じてきた。何よりも、遠く離れた米国で暮らす妻子を気にかけ、隙間時間を使ってはまめに電話で連絡を取ろうとする姿が印象的だった。「会うのは当分無理かもと伝えたら、娘が泣きじゃくってね」。以前彼の自宅を訪れた際、ちょうど帰省中だった娘2人が丸い目をくりくりさせてはしゃいでいた姿を思い出し、胸が締め付けられた。

私の職場で同僚だったイラン人女性は、渡米に必要な要件をすべて満たしているはずなのに、米国のビザ（査証）が発給されなかった。長年生き別れとなっていた在米の親族と念願の再会を果たしたいと、かねて口にしていた。

イラン人が国交断絶中の米国に渡航の申請手続きを行うには、米同盟国の日本で生まれ育った私たちの想像を絶する気苦労があった。イラン国内には米国の在外公館がないため、ビザを申請するためだけに第三国の米大使館や米総領事館に足を運ばなければならない。同僚女性は分厚い申請書類を一枚一枚準備した上で、数日間の休暇を取ってアラブ首長国連邦（UAE）に空路で向かい、煩雑極まりない手続きを終えていた。

「ビザは発給できない」。審査結果の通知が届いたのは、トランプが入国規制措置を発表後まもなくのことだった。職場で結果を告げられた際、うるんだ彼女の瞳を直視できなかった。

入国規制措置は米国でも波紋を呼び、世論を二分した。司法闘争に発展し、米連邦地裁、高裁レベルで措置の正当性を否定する判断が数多く出たものの、判事構成が保守派優勢となった最高裁判決ではトランプに軍配が上がった。措置はバイデンが大統領就任初日に宣言するまで、撤廃されなかった。

在米のイラン系住民は、約270万人に上るという。政治的理由からイランの土を踏むことが叶わず、祖国で暮らす身内が渡米する日を待ち望む人も多かった。

「テロリストを入国させないためだ」。トランプは措置の正当性を再三にわたって強調した。だが、私の周囲で悲嘆に暮れていたイラン人は、テロリストとは無縁に見えた。愛する肉親に思いを馳せながら、懸命に生きてきた普通の人々ばかりだった。同じように引き裂かれそうになっていた家族の総数は、一体どれほどだっただろう。

イラン核問題とは何か

ここまで、トランプ時代に人生を揺さぶられたイラン国民の姿を紹介した。弱者の支えになれていることにプライドを持ってきた福祉機器工場の経営者レイラ。遠い空の下の家族のことをあれこれと心配しながら、仕事に打ち込んできた実業家サイード。彼らの顛末は、氷山の一角に過ぎない。

留意すべきなのは、米国の対イラン制裁がこの間、発動状態と解除された状態を行き来

イラン核合意からの離脱を表明するトランプ米大統領（2018年5月、共同通信）

したという点だ。現代の米イラン関係は、約40年にわたる敵対の歴史でもある。たとえバイデン政権下で制裁が再び解除されたとしても、双方の政治リーダーの顔触れ、イラン核問題の進捗、軍事的緊張の水準といったファクターの推移いかんでは、将来的に制裁の再々発動が起きる可能性は排除できない。そうした未来のシナリオに備える意味でも、トランプ時代にイランの現場で何が起きていたか、イランにゆかりのあった外国人・外国企業がどんな経過を辿ったかを記録しておくことは大切だと考える。

２０１８年の米国のイラン核合意離脱と制裁再発動は、イラン国民が経験した「トランプ・ショック」の最たるものだ。イラン核合意とは何か。どうして米国は核合意に対し、一度は首を縦に振りながら、反故にするに至ったのか。時計の針を一旦巻き戻し、イラン核問題の経過を辿ってみたい。

「数多くの核開発計画が秘密裏に進められてきた」。2002年8月、米国の首都ワシントンで、在米のイラン反体制派が記者会見した。国家機密にアクセスできる内通者の情報として、イランが水面下で核施設を建設中であると暴露したのだ。中部ナタンズのウラン濃縮施設、西部アラクの重水炉のことだった。国連の関連機関として核活動を監視し、「核の番人」の異名を持つ国際原子力機関（IAEA、本部ウィーン）には、いずれの計画も申告されていなかった。

ウラン濃縮施設とは、「遠心分離機」と呼ばれる筒状の装置を使用し、放射線を出す元素の一種であるウランを濃縮する施設だ。自然界に存在する天然ウランには、核分裂を起こすウラン235が0・7％程度含まれる。気化させて遠心分離機に注入し、回転させると、質量の小さいウラン235は中心に集まる。繰り返し行えば、濃度は高まる。濃縮度3～5％の低濃縮ウランは原発用の核燃料となるが、90％以上の高濃縮ウランになれば核兵器の原料になる。

もう一方の重水炉とは、原子炉の一種だが、世界の原発の8割程度を占める軽水炉とは設計が異なる。軽水炉は、核分裂後に放出される中性子の速度を下げる「減速材」に通常の水を使用する。重水炉では、減速材に比重の重い重水が使われる。濃縮していない天然ウランをそのまま原発用燃料にできるのが利点だが、核兵器に転用可能なプルトニウムが比較的容易に抽出できる。

ウラン濃縮施設と重水炉は、ともすれば核兵器の製造にもつながりかねない核施設だ。建設計画自体が極秘裏だったことを鑑みれば、焦眉の問題となるのは必然の流れだった。イランは「ナタンズとアラクの核施設は平和利用目的だ」と反論したが、密かに核兵器を開発しているのではないかとの疑惑は、国際社会でにわかに深まっていった。

核武装疑惑はグレー

破滅的な破壊力を持つ核兵器の恐ろしさは、唯一の戦争被爆国である日本に生きる私たちのよく知るところだ。太平洋戦争末期の1945年8月、米国が広島にウラン型原爆を、長崎にプルトニウム型原爆を投下し、同年末までに推計21万4000人が犠牲になった。一命を取り留めた生存者の多くも、その後の人生を放射線被害に苦しみ続けながら生きてきた。核兵器の廃絶は、被爆者やその他大勢の日本人にとって悲願と言えるだろう。

1970年、核兵器を開発し保有する国が増えるのを防ごうと、核拡散防止条約（NPT）が発効した。三本柱として「核軍縮」「不拡散」「原子力の平和利用」を据え、加盟国は約190カ国に広がった。国連安全保障理事会の常任理事国でもあった米国、ソ連（現ロシア）、英国、フランス、中国は、条約発効の時点で既に核武装していた。NPTはその5カ国に核保有を認める代わりに、核軍縮のための誠実な交渉を義務付けた。他の国々には核保有を禁じ、IAEAの保障措置（査察）受け入れを義務付けた上で、原子力の平和利用の権利を認めた。

そんな世界の核秩序は、ゆっくりとではあるが確実に腐食が進んできた。NPT未加盟のインドが1974年に、パキスタンが1998年に、それぞれ核実験に成功した。同じく未加盟のイスラエルは極秘裏に核開発を進め、1960年代後半には核を保有していたとされる。北朝鮮はNPTを脱退し、2006年以降は核実験と弾道ミサイル発射実験を繰り返した。核保有国は事実上、9カ国に到達している。ストックホルム国際平和研究所（SIPRI）の推計では、2021年1月時点で世界には計1万3080発もの核弾頭が存在する。

ここに至って、この半世紀で幾度もの戦争を経験し、世界の火薬庫とも言われてきた中東で、地域大国イランが核武装したと仮定する。ライバルであるサウジアラビアは言わずもがな、中東諸国が次々と核開発競争にひた走り、「核ドミノ」現象が生じる最悪のシナリオが現実味を帯びるだろう。NPT体制の崩壊にもつながる絶望的な事態となるのは明らかだ。

はたして、イランに核武装の野望はあったのか。核兵器開発疑惑の解明を続けてきたIAEAは、2015年12月に最終報告書をまとめている。核兵器開発に関連する明確な痕跡は2009年以降なかったと結論付けたが、一方で2003年までは核兵器の起爆装置開発が組織的に行われていたと認定した。さらに、IAEAは2019年11月、イラン国内の未申告の場所からウランの粒子を検知したとする新たな報告もまとめ、核合意の前提が揺らぐことになるのではないかと騒ぎになった。

疑惑は「黒」ではなかったものの、清廉潔白には及ばない「グレー」と言えそうだ。以上の事実からも、世界の核秩序にとってイラン核問題がいかに重大な危機となってきたかが窺い知れる。

歴史的合意か、最悪のディールか

2002年の核兵器開発疑惑の発覚からイラン核合意に至るまでの13年間は、イラン情勢が緊張と緩和を繰り返した時代だ。対話と圧力でイランに核開発制限を迫る国際社会と、疑惑を真っ向から否定するイラン。困難な紆余曲折を追っていくと、核合意が双方の妥協の上に成立した「薄氷の合意」だったことが分かる。

イランの保守強硬派マハムード・アハマディネジャド政権（2005〜13年）は、欧米の警告を無視する形でウラン濃縮活動を加速させた。3・5%の低濃縮ウラン製造の成功、中部フォルドゥの山岳地帯の地下に建設した第2のウラン濃縮施設の稼働、濃縮度約20%のウラン製造の開始……。次々に核開発計画の進展を喧伝する一方で、核兵器の運搬手段とされてきた弾道ミサイル発射実験も繰り返した。

危機感を強めた国際社会は外交交渉と並行し、経済制裁強化でプレッシャーを与えた。国連安保理は2006〜10年の4回にわたり、核・弾道ミサイル開発の関係者への金融制裁やイランの輸出入貨物の検査といった制裁決議を採択した。2012年には、欧米がイラン産原油の禁輸措置など厳しい追加制裁を発動し、イラン政府の国家歳入の基幹部分に深手を負わせた。この間、外国企業の大半はイランビジネスが事実上不可能になり、イラン国内では貿易ルートの停滞や深刻なインフレで経済が低迷した。

潮目の変化が訪れたのは、2013年8月にイランで穏健派ロウハニ政権が発足してからだ。国際社会との協調を掲げるロウハニは、核問題を巡り対話路線へと舵を切った。経済制裁で国内経済は疲弊しており、このままではイスラム革命体制の存続が覚束なくなるとの危機感もあったようだ。経済制裁が国民生活に甚大なダメージを与えてきた実情については既に触れたが、国民の悲鳴が政治判断に作用を及ぼす「劇薬」の側面があることも否めない。

国連安保理常任理事国（Permanent Members）である米国、英国、フランス、中国、ロシアにドイツを加えた6カ国（P5＋1とも呼ばれる）との間で、イランが続けてきた協議は、少しずつ前進した。暫定合意、枠組み合意を経た2015年7月14日、オーストリアの首都ウィーンを舞台にイラン核問題の最終合意文書が交わされた。正式名称は「包括的共同行動計画」(Joint Comprehensive Plan of Action)。英語では頭文字を取ってJCPOA、もしくはIran nuclear dealと呼ばれている。

イラン核合意とは、イランが核開発計画を大幅に制限し、その見返りとして国際社会が経済制裁を解除するという核問題の解決策だ。

イランの核開発制限は、たとえ将来イランが核合意を破棄したとしても、核兵器1個の製造に必要な核物質を入手するまでの「ブレークアウト・タイム」が最低1年間は確保できるレベルとされた。ウラン濃縮活動は国内2施設のうちフォルドゥでは行わず、ナタンズに限定した。遠心分離機は合意前の3分の1弱に当たる5060基以下しか、濃縮活動のために稼働してはならないと定めた。ウランの濃縮度や貯蔵量には上限を設け、3・67%以下の低濃縮ウランを300キロ（六フッ化ウラン換算）保有することだけが許された。アラクの実験用重水炉については、設計を変更した上で核兵器級のプルトニウムを製造しないこととした。原発で生じる使用済み核燃料からプルトニウムを抽出する再処理は行わず、再処理工場も建設しないと約束した。イランはもちろん、NPT加盟国として、核保有禁止やIAEAの査察受け入れといった義務を果たさなければならない。

国際社会は2016年1月、核兵器開発疑惑に伴う対イラン経済制裁を解除した。国連安保理決議もイラン核合意を承認したため、国連の全加盟国が核合意の内容を実行する義務を課されることになった。

　イラン核合意は、核不拡散体制の正念場を乗り切った「歴史的合意」ともてはやされた。オバマ政権はレガシーの代表格として、成果を高らかにアピールした。米イランの政治指導者は長年、歴史的対立を背景に直接対話が困難だったが、交渉責任者だった米国のケリー国務長官とイランのザリフ外相（いずれも当時）は何度も膝詰めで向き合い、一時はノーベル平和賞の有力候補にも取り沙汰された。

　オバマから米政権運営を引き継いだトランプは、そうした過去の多国間交渉の経過を顧みず、核合意には「深刻な欠陥」があると強く主張した。

　問題視したのは、
（1）イランに課された主な核開発制限には、10〜15年後に順次期限を迎える「サンセット条項」が存在する
（2）核兵器の運搬手段にもなる弾道ミサイルの開発を制限できていない
（3）イランの核開発計画に目を光らせるIAEAの査察が不十分——の3点だ。
「実にひどく、一方的なディール（取引）だ。絶対に結ばれるべきではなかった」と口を極めて批判した。

　以上の顛末を経て、米国のリーダーはイラン核合意の評価を「歴史的合意」から「最悪のディール」に180度転換させたのだった。

3年足らずの「黄金時代」

２０１５年7月のイラン核合意締結から米国の核合意離脱に至るまで、イラン国内には束の間の雪解けムードが到来した。経済制裁解除でイラン市場には世界中から熱視線が浴びせられ、外国企業が大挙して押しかけたのだ。現地には、イラン現代史の黄金時代とも呼べる光景が広がっていた。

「新たな章の幕開けだ」。２０１６年12月、テヘラン北部の政府御用達のホールには、報道陣のカメラの放列が敷かれていた。ステージ上では英・オランダ系石油メジャーのロイヤル・ダッチ・シェルの幹部とイラン政府高官が満面の笑みをたたえている。中東最大級の南西部アザデガン油田の開発計画案策定に向け、現地調査を実施するとの覚書にサインが交わされたのだった。客席最前列に陣取った英政府の大使は「イランは膨大な可能性を秘めている」と鼻息が荒い。

それもそのはずだ。イランは多少の政治的リスクを抱えてはいても、魅惑のビジネスチャンスをはらんだ「最後のフロンティア」に他ならなかった。人口は８０００万人超と中東有数。原油確認埋蔵量は世界4位、天然ガス確認埋蔵量は世界2位で、屈指の資源大国でもある。おまけに、長年の政情不安や経済制裁を背景に、他国のように開発の手が及んでいない。エネルギー安全保障の観点からも、天然資源を安定的に確保するための重要な調達先となりえた。

アザデガン油田は、かつて資源小国の日本が自主開発の「日の丸油田」を確保できるとの期待が寄せられた油田でもあった。核合意前の米国による経済制裁強化で2010年、撤退を余儀なくされたが、未練を完全に断ち切れていたわけではなかった。再参入の可能性を模索する日本企業の国際石油開発帝石（INPEX）が、シェルと同じような内容の覚書に既に署名していた。油田開発の本契約を競い合うライバルは群雄割拠で、ほかにもフランスの大手トタル、中国やマレーシアの国営企業などそうそうたる顔触れが並んでいた。

イランでこの時期、首尾よく進んでいた大型商談は枚挙にいとまがない。ペルシャ湾内に位置する世界最大級の南パルス天然ガス田を巡っては、トタルなどが48億ドル（約5400億円）で一部を開発する契約を結んだ。航空機大手の米ボーイングと欧州エアバスは、イラン航空各社に200機超もの旅客機を計約390億ドル（4兆円超）で売却する取引に調印した。テヘランでは機械工業や自動車関連の国際見本市がさかんに催され、原油輸出基地カーグ島では沖合に浮かぶ各国の大型タンカーの船影が見渡せた。日本の大手商社も機先を制されてはなるまいと意気盛んで、現地駐在の社員数は時を追うごとに増えていった。

そんなイランが待ちわびてきた「春」は、わずか3年足らずでピリオドが打たれることになる。生き馬の目を抜くビジネスの世界はシビアだった。2018年5月にトランプが方針を表明し、猶予期間を経た8月と11月にそれぞれ再発動した経済制裁は、街頭の光景を劇的に変えた。

グローバル経済から排除

客足が激減したテヘラン最大の市場グランド・バザールに、淀んだ空気が漂っていた。「借金の返済は待ってくれ」「苦しいのは俺も同じだ。すぐに支払え」。貴金属店では、資金繰りが行き詰まった店主同士が怒鳴り合っている。買い手の付かなくなったペルシャじゅうたんの在庫の山では商人たちが体を投げ出し、自嘲気味に軽口を叩き合っていた。2018年5月末、万人を踊らせていたかのように見えたイラン核合意の熱気は、もはや影も形もなかった。

再発動が発表されるやいなや、すぐに深刻な影響をもたらした米制裁は、以下のようなものだ。イラン政府が世界の主要通貨である米ドル現金を獲得するのは禁止。伝統工芸品ペルシャじゅうたんの対米輸出や旅客機の対イラン輸出は不許可とした。イランが関係する貴金属や石炭の取引、イラン産原油や石油精製品などの取引は認めない。自動車部門やエネルギー部門のほか、貿易に欠かせない損失補塡の保険契約なども制裁対象となった。日本で言えば日銀にあたり、金融システムの中核を担ってきたイラン中央銀行は、国際送金ネットワークから排除された。これら数々の制裁項目はまさに、イラン経済を麻痺させるに等しい。

そして何より、米制裁を最強の経済制裁たらしめていたのは、制裁に従わなければならない対象を当事国である米イランだけでなく、世界中の企業・個人にまで拡大している点だった。ひとたび違反すれば、巨額の罰金、米市場や米金融システムからの締め出しといったペナルティーが待ち構えている。それは米国が世界金融のハブ（拠点）である以上、グローバル経済から排除されてしまうこととほぼ同義だった。

ほとんどの外国企業にとっては、致命的リスクが生じたイランビジネスは事実上、存続不可能となった。アザデガン油田や南パルス天然ガス田の巨大開発プロジェクト、民間旅客機の大量売却取引、欧州自動車大手と地元メーカーの共同事業、原油関連取引……。その後も順調に進行していくかに見えた計画は軒並み、白紙に戻った。日本企業の大半も現地事業の大幅縮小を迫られた。現地駐在の商社マンとの会食では、撤退が決まったプロジェクトの残務整理や現地スタッフの人員整理にまつわる苦労話が定番の話題になった。

各国の政府や大企業、その他大勢の関係者がこつこつと積み上げてきたすべての前提が、たった1カ国の翻意だけで脆くも崩れ去ってしまう。世界における米国の存在感がいかに巨大なのかを、「敵国」イランで見せつけられる思いだった。

反政府デモ続発、背景に格差構造

イラン核合意は時限付きではあったが、イラン国内に確かな恩恵をもたらした。当時の経済統計には、制裁解除に伴う景気の浮揚感が現れている。国内総生産（ＧＤＰ）成長率は０％（２０１５年）から13・４％（２０１６年）に大躍進。核合意前は最悪時で年35％を超えていたインフレ率は、年10％前後の水準に沈静化した。

しかしながら、そうした「果実」が十分に分配されることのなかった層が少なからずいた。国の将来を支えるはずの若者や経済的に恵まれない低所得者、都心部から離れた地方都市の住民だ。前記した経済統計も、全体のＧＤＰ成長率から原油分野を除いて再計算すればわずかにとどまり、国民の肌感覚からすれば数字のマジックの色彩が強かった。若年失業率は逆に悪化し、30％近くもの危機的水準に到達していた。

目的もなく公園に集い、漫然と時間を潰すニート（若年無業者）。シャッターが下り、廃屋群と見まがう商店街。首都テヘランでも、人気ブティックが並び、高級外車が行き交う北部のセレブ地区からほんの数キロ移動すれば、救いようのない格差社会の光景が広がっていた。

バラ色の未来を予感させたイラン核合意に対する期待値が、あまりに高かったことも災いした。怒りのマグマは反政府デモという形で爆発した。最初は米国による核合意離脱を目前にした２０１７年末。米制裁再発動で国内経済の傷口が広がり、悲観論がピークに達していた２０１９年秋にも再発した。

デモ参加者の中核は、国内各地の地方都市で暮らす若年層だった。イランではかねて治安当局が強権を付与され、体制のイデオロギーから外れた異論は徹底して弾圧されてきた。なぜ若者たちは身の危険を承知の上で、異例となった反政府デモの現場へと走ったのか。

ポリヤ(30)は小さなピザ屋の男性店長だ。日々の暮らしを営んできた地元の西部ツイセルカンは、ザグロス山脈沿いに位置するのどかな町。人口は約4万5000人で、町民は先祖代々のクルミ栽培で生計を立ててきた。

近年、町はみるみるさびれていった。買い物に出掛けるたび、商品の値段は上がっている。気候変動に起因する干ばつで、主産業のクルミ栽培は凶作が続いた。農家の廃業が相次ぎ、都市部への人口流出が加速した。親しい友人の中にも食い詰める失業者が増えた。

ピザ屋の店内は、食材価格の高騰と客足減で閑古鳥が鳴く日が続く。イラン核合意と経済制裁解除のニュースはテレビでよく目にしたが、政府が外交成果をアピールする言葉は空々しく響いた。「次の春には生まれて4度目の倒産を迎えてしまう」。精神的に追い詰められていた2017年12月31日、反政府デモへの参加の呼び掛けが回ってきた。「汗水流して一生懸命働いているのに、どうしてまともに人生の計画も立てられやしないんだ」。窮状を政府に知らしめたいとの一念で、会場となった町の中心部に向かった。

周囲の参加者の白熱ぶりは、想像以上だった。「独裁者に死を」。政府批判だけでなく、イランの最高指導者アリ・ハメネイ師を糾弾するスローガンさえ叫ばれていた。最高指導者はイスラム革命体制の頂点に君臨する存在。侮辱行為は罪に問われ、普段なら口にするのも憚られるセリフだ。

突然、爆発音が響いた。驚いて振り向くと、銀行の建物から火の手が上がっていた。一部の参加者が暴徒化したようだ。商店の窓は割られ、バス停は破壊された。現場を監視していた治安当局が催涙ガスをまき、逃げ惑う男女に警棒を振り下ろしているのが見えた。乾いた銃声が何度も聞こえた。誰が撃っていたのかは分からない。

命の危険を感じ、ポリヤは急いで現場を離れ、自身のピザ店に逃げ込んだ。銃弾を浴びた負傷者が目の前を搬送されていった。頭と腕から流血した中年男性が地面を這うように避難していた。予断を許さない治安状況が続いていたので、店内でかくまうことにした。空が白むころには6人が命を落としていた。ツイセルカンはデモが最も エスカレートした地方都市の一つとなった。

デモは40都市以上で五月雨式に発生し、一時はテヘラン都心部も厳戒態勢下に置かれた。私はエンゲラーブ通りの主要区間で、数千人規模の重武装の警官のほか、通行人に放水する大型装甲車も目撃した。デモの様子を遠巻きに見守っていただけなのに、電流が流れる特殊警棒でけがを負わされた青年の訴えも聞いた。情報統制の強化で電話やインターネットは途切れがちになり、不用意に出歩けば不逮捕特権を持つ外交官でさえ拘束された。鎮圧宣言が出される前後までにデモ参加者23人が死亡、約３７００人が拘束された。

「デモが起きればやがて鎮圧されるけれど、今この国には希望がない。絶望している人は僕の周りにも多いよ」。２０２１年春、通話アプリで折に触れてやりとりを続けているテヘラン在住のジャバド（仮名）のため息は一段と深かった。

２０１７年末に実勢レートで1ドル＝約4万リアルだった通貨価値は、２０２１年春には25万リアル前後まで暴落した。物価は2～5倍ほどに跳ね上がり、タクシーの利用もはばかられた。求職活動をしようにも、まともな働き口は望めない。バイデン政権発足後もイラン経済の状況は惨憺たるもので、元々は穏健派を熱烈に支持していたジャバドは政治不信を強めていた。友人や知人も似たり寄ったりのようだった。

国民の不満がいかに根深いかを示していたのが、反政府デモが前々から計画されていたものではなく、ちょっとした引き金で発作的に急拡大した点だった。２０１７年末は卵の値上がり。３００人超が死亡した２０１９年秋のデモはガソリン値上げだった。

ジャバドは反政府デモが今後も続くと予言した上で、声を潜めた。「治安当局も必死だ。今となっては国民のことが怖いんだ」。治安部隊がデモ参加者に公然と銃口を向ける様子がソーシャルメディアに投稿されて拡散し、過度な取り締まりへの反感も高まっているという。

固定化された経済格差。展望の見えない未来。反政府デモの背景に横たわるのは、イラン社会の構造そのものだった。たとえバイデン政権がイラン核合意に復帰し、順調に経済制裁が解除されたとしても、国民の間に災いの種は残り続けることになるだろう。

「米イラン戦争」の現実的リスク

「イラン核合意は崩壊するのかって？　もはや存続しているのかも疑わしいよ。米国との戦争の気配が間近に迫っていると感じる」。２０１９年12月、京都市。気の置けない友人のイラン人男性が日本を訪れる機会があり、既にテヘランから帰任していた私は観光名所を案内していた。イラン情勢の悪化を、彼は本心から危ぶんでいた。

新型コロナウイルスのパンデミック（世界的大流行）が起きるまで、まだ少し間がある時期。笑顔の観光客が行き交う路上に立ち、彼は「母国とは別世界だ」とつぶやいた。神社仏閣の美しさにため息をついた後、土産物屋で「通貨危機で財布の紐が固くなってね」と苦笑いし、商品の値札を見比べていた。平和な街角で別れる間際、彼らの行く末を案じた。

米制裁の再発動後、状況は時を追ってエスカレートした。いよいよ「米イラン戦争」のリスクが現実味を帯びたのは、制裁表明から約１年が経過した２０１９年春から、トランプ政権が退陣する２０２１年初頭にかけてだ。国連のグテレス事務総長が「地政学的な緊張状態は今世紀で最も高いレベルにある」と危ぶんだ顛末を、駆け足で振り返ってみたい。

トランプ政権が対イラン圧力のギアを一段と上げたのは、2019年4月15日。他国の国家機関の一部としては初めて、イラン革命防衛隊をテロ組織に指定した。革命防衛隊とは約19万人の兵力を誇るイランの主要軍事組織だ。イラン革命の直後、革命指導者ルホラ・ムサビ・ホメイニ師の命令で、正規軍とは別に創設された。国内要衝の警備や弾道ミサイル開発、中東各地での対外工作と任務は幅広く、傘下の建設会社や石油会社は国内経済の2～3割を支配下に置いているとも言われる。イラン指導部をまさに下支えしてきた存在であり、米国がターゲットに名指しした波紋は大きかった。5月2日になると、米国はイラン産原油取引に関する制裁再発動で日本など8カ国・地域に設けていた適用除外措置を打ち切った。イラン政府の主要歳入源である原油が全面禁輸となった形だ。

イランもむろん、黙ったままではない。米国のイラン核合意離脱からちょうど1年に当たる5月8日、核合意から段階的に逸脱すると宣言した。それ以降、核合意で定められたウラン濃縮度の上限超過、ウラン濃縮に使用する遠心分離機の開発制限撤廃、地下深くに位置するフォルドゥの核施設でのウラン濃縮活動再開に順次踏み切り、核合意の履行を一つ一つ停止した。イラン核合意は米国の一方的離脱とイランの段階的逸脱によって、もはや骨抜きになった。

この前後から、イラン情勢はまさに報復の連鎖といった様相を呈した。米国は新たに、イランの基幹産業の一つである金属部門を制裁対象に追加した。並行して軍事的圧力も強め、原子力空母を中心とする空母打撃群やB52戦略爆撃機をペルシャ湾岸に派遣した。中東に地対空ミサイルや輸送揚陸艦も配備し、現地に駐留する米兵の人員を大幅に増強した。ペルシャ湾の出口ホルムズ海峡の近くでは6月13日、東京都内の海運会社「国華産業」が運航するタンカーが攻撃を受けて船体から出火し、日本では新聞号外相当のニュースとして報道された。6月20日にはイラン沖上空でイランが米国の高性能無人偵察機グローバルホークを撃墜し、米国が報復攻撃を計画したものの、実行約10分前に中止した。米国は国家元首に対しては異例の措置として、最高指導者ハメネイを制裁対象に指定した。

イランからペルシャ湾を挟んだサウジアラビア東部では9月14日、国営石油会社サウジアラムコの石油施設2カ所が無人機とミサイルで攻撃され、火災が発生した。世界の日量生産の約5％に相当する約570万バレル（サウジアラビア政府発表）の生産が停止し、原油相場は乱高下した。イラン犯行説を唱えた米国と全面否定するイランの間で、水掛け論が続いた。

ソレイマニ司令官暗殺と報復

このまま「第3次世界大戦」が到来してしまうのか。世界が固唾（かたず）を呑んで見守ったのが、新年が明けた2020年1月3日だった。イラクの首都バグダッドの空港で、イラン革命防衛隊の英雄ソレイマニが米軍無人機のミサイル攻撃によって暗殺された。

鋭い眼光に、白い短髪とひげ。海千山千の老兵を連想させる風貌。ソレイマニはイランの対外工作を一手に担い、革命防衛隊の精鋭「コッズ部隊」を20年以上率いてきた。名実ともに保守強硬派のカリスマで、他国に置き換えれば防衛相を突然殺害された以上の衝撃と言えた。全幅の信頼を寄せる最側近を失ったハメネイは「血で手を汚した犯罪者は重大な報復を受けるだろう」と予告した。無人機攻撃による暗殺作戦を自ら指示していたトランプは、報復があればイランの重要施設など52カ所を標的にすると逆に警告した。

ソレイマニ暗殺から5日後、イランは報復に踏み切った。弾道ミサイル十数発を発射し、イラク国内の米軍駐留基地を攻撃したのだ。夜空にいくつもの光の粒が軌道を描き、閃光(せんこう)と爆発音が上がる映像は世界中に速報された。現場では死者こそ出なかったが、軽度の外傷性脳損傷と診断された米軍関係者は100人を超えた。

米イランの全面衝突に発展するのかは最後まで予断を許さなかったが、トランプは米軍側に犠牲者が生じなかったことなどを理由に、さらなる軍事的行動は見送った。「今世紀最大の危機」は間一髪で回避されたかに見えたが、これで一件落着ではなかった。革命防衛隊がテヘラン発のウクライナ国際航空機を米軍の巡航ミサイルと誤認、ミサイルで撃墜し、乗客乗員計176人全員が犠牲になった。

最悪のシナリオである「米イラン戦争」が勃発することはなかった。だがこの間、極度の緊張状態下で、現実に罪のない大勢の民間人の命が奪われていたのだ。

火種は「シーア派の弧」

迷路のように曲がりくねった商店街に、イランの公用語ペルシャ語のざわめきが響いていた。アラベスク模様の壁画の向こうに黄金のミナレット（尖塔）がそびえ立っている。夜間も巡礼者の姿が絶えない一帯は、巨大な聖廟（せいびょう）を擁するイスラム教シーア派の聖地だ。道中に通った近郊の幹線道路では、黒のターバンを巻いたハメネイの肖像写真が掲げられていた。傍らには、彼の横顔を敬意のまなざしで見つめる地元民兵組織の頭領も写り込んでいた。別々の写真を組み合わせ、ツーショットの構図に編集したのだろう。

ここはシーア派を国教に掲げるイラン国内でも、保守色が濃い都市の街頭か。いや、違う。隣国イラク中部の宗教都市ナジャフだった。テヘランからはるか国境を越えて７００キロ超離れていながらも、それだけイランとの一体化が進行している場所なのだ。地元民兵組織が他国の元首であるハメネイの威光を笠に着た肖像写真は、象徴的光景と言えた。

イランがイラク、シリア、レバノンへと伸びるエリアに築き上げた勢力圏「シーア派の弧」で、ナジャフはほぼ中心に位置している。緩やかな円弧状をした圏内にはイスラム教の多数派スンニ派ではなく、少数派シーア派の信徒が比較的多い。

近年、シーア派の弧がにわかに焦点となった理由は、イランとの政治的・経済的な結び付きが強いだけでなく、時にイランの手足となって動くシーア派民兵組織がうごめいているからだ。4カ国を合わせれば、ペルシャ湾から地中海に至る中東の戦略的要衝を横断し、総面積は日本の領土のほぼ6倍に当たる約226万平方キロ。周辺諸国におけるイランの影響力拡大を裏打ちする存在に他ならない。

核問題の陰に隠れがちではあるが、このシーア派の弧こそが米イラン対立の要因の一つであり、今日の中東情勢の鍵を握る「火薬庫」にもなっている。地域のパワーバランスを転換する安全保障上の脅威として、ユダヤ人国家イスラエル、サウジアラビアを筆頭とするスンニ派湾岸アラブ諸国、米国のいずれもが問題視しているのだ。

1979年のイラン革命以降、米国は中東の二大同盟国であるイスラエル、サウジアラビアと協調しながらイランをけん制してきた。イスラエルは、在米ユダヤ系を通して米政界に強い作用を及ぼす。イランと中東の覇権を争う産油国サウジアラビアは米国製兵器の主要輸出先だ。歴代米大統領の中でも、とりわけトランプは二大同盟国との関係を重視した。国際社会の猛反発は承知の上でのイラン核合意離脱、道義的問題もはらんだ圧力政策。一見なりふり構わないように映った姿勢も、こうした地政学的な力学を踏まえれば理解できる。

ただ、トランプの「最大限の圧力」をもってしても、シーア派の弧はついぞ切り崩されることはなかった。裏を返せば、イランの国力が多少弱まったところでびくともしないほど、圏内にネットワークは根深く、頑丈に張り巡らされているということだ。

一触即発の状態は続く

シーア派の弧が生まれ、肥大化する素地は、はるか以前から存在した。シリアのバッシャール・アサド大統領はシーア派から分派したアラウィ派で、先代の父の時代からイランとは盟友関係にあった。レバノンで国軍を凌ぐ軍事力を誇り、国政にも影響力を持つシーア派組織ヒズボラは1982年、イラン革命防衛隊の指導下で創設されている。

ただ一つ、イラクだけは長らくシーア派の弧にとっての「空白」だった。国内多数派はシーア派だが、スンニ派のサダム・フセイン独裁政権時代に弾圧下にあったからだ。それを一変させたのは、ブッシュ米政権がイラクの大量破壊兵器保有を主張し、有志連合を率いて侵攻した2003年のイラク戦争だった。日本とも縁の深い戦争で、大規模戦闘終結の宣言後には陸上自衛隊が南部サマワで給水や道路補修に従事した。

フセイン政権崩壊後、イラクではシーア派主導の新政権が誕生し、イランとのつながりは急速に深まった。かつてブッシュが「悪の枢軸」とまで呼んだイランの勢力伸長を後押ししたのが、結果的に米国自身の中東政策だったのは、歴史の皮肉と言うほかない。イラク戦争では米軍の攻撃で一般市民の犠牲が相次ぎ、反米感情はかえって高まった。大量破壊兵器も最後まで見つからず、開戦の大義は失われた。

さらなる追い風がイランに吹いたのが、2010年代後半だった。内戦が泥沼化していたシリアでは、イランの軍事支援を受けるアサド政権が反体制派や過激派組織「イスラム国」(IS)を圧倒した。アラビア半島南端イエメンでは、親イランの武装組織フーシ派が首都サヌアを制圧し、南部に逃れた暫定政権との内戦でも粘り強い攻防を展開した。イラン核合意に伴う制裁解除で、イランには各地のシーア派勢力を下支えする財政的余力が生まれた。

こうしてパズルのピースが一つ一つ揃い、シーア派の弧はいつしか中東全体における既存の秩序に挑戦するほどになった。時代の潮流によるところも大きいが、この間にイランが周到に安全保障政策を推進してきたことも忘れてはならない。サウジアラビアの米国製最新兵器やイスラエルの核兵器と渡り合うためには周辺諸国で軍事拠点を堅持し、相手の喉元に刃を突きつけておくことが不可欠と考えているのだ。これらの「国策」(イラン政府高官)で旗振り役を任されてきたのが、米軍に暗殺されたソレイマニだった。

シーア派の弧に生息する親イラン民兵組織にとって、戦闘員の訓練や資金援助を差配してきたソレイマニは、いわば育ての親のような存在だ。「世界ナンバーワンのテロリスト」を殺害したとするトランプの理屈が通じるはずもなく、報復を誓うのは必然と言えた。

レバノンのヒズボラは4万~5万人の兵力を誇るほか、10万発を超えるロケット弾やミサイルを保有しているとされる。イラクの「人民動員隊」（PMF）は数十の傘下組織を抱え、戦闘員は総勢10万人超とも言われていた。その傘下組織の一つで、シリアでも活動する「神の党旅団（カタイブ・ヒズボラ）」は最も危険な集団として、米国がテロ組織に指定した中でも最重要警戒対象となっていた。IS支配地域が消滅した2019年春時点で、イラクの駐留米兵が約5000人（その後段階的に削減）だったことを踏まえれば、武器の性能の差を考慮に入れても決して侮れない兵力を備えていることが分かる。

その上、彼らはそれぞれの土地に深く根付いてもいた。2017年9月、IS掃討作戦が完了してまもないイラク北部モスルでは、幹線道路に検問所を設け、市街地の治安維持を担っていたのはPMFの戦闘員らだった。「戦友との絆は大事にしなければならない」。ソレイマニ暗殺前ではあったが、私は現場で銃を手にしたPMF中堅幹部からイランとコッズ部隊への忠誠心を聞かされた。モスル界隈であれば、いつどこでターゲットを攻撃するかも思い通りだっただろう。

こうした敵に回せば恐ろしい民兵組織が、シーア派の弧のあちらこちらを根城にしているのだ。懸念されるのは、彼らはイラン革命防衛隊のような国家機関とは異なり、必ずしも秩序立った指揮系統に基づいて行動しているわけではないという点だった。神の党旅団によるソレイマニら暗殺の報復とみられ、イラクの米軍駐留基地で3人が死亡した2020年3月のロケット攻撃は、その一例だろう。些細なきっかけでも、偶発的な衝突に発展するリスクは高い。

シーア派の弧に対する強い警戒心は、バイデン政権も引き継いでいる。イランによる「中東を不安定化させる動き」として黙認しない姿勢を明確にしたが、依然として魔法の杖はないのが現状だ。圏内では当面、一触即発の状態が続くことになるのは疑いない。シーア派の弧は今後とも、米イラン関係と中東情勢にとっての火種であり続けるだろう。

バイデンは危機を打開できるか

米首都ワシントンのホワイトハウスにある庭園「ローズガーデン」には、春にしては肌寒いそよ風が吹いていた。鮮やかな草花が植えられている先は、楕円の形状をしていることから「オーバルオフィス」と呼ばれる大統領執務室だ。雲間から太陽の光が差し込んでまもなく、約3カ月前に大統領に就任したバイデンと菅義偉首相（当時）が姿を現した。

2021年4月16日。政治部で首相官邸担当となっていた私は、訪米する菅に同行する記者団の一人として、日米首脳会談後の共同記者会見の席上にいた。覇権主義的な動きを強める中国が既存の国際秩序を塗り替えようとする中、日米両政府のトップが今後の対処策などをすり合わせ、「日米同盟の羅針盤」（菅）となる共同声明を発表した歴史的な会談だった。依然として新型コロナが猛威を振るう状況下、バイデンは就任後じかに対面する初の外国首脳として菅を選んでいた。

記者会見のメインテーマは、中国の海洋進出で懸念が強まるインド太平洋地域の安全保障だったが、トランプ政権末期に袋小路に迷い込んでいたイラン情勢が再び動き出している気配を実感する瞬間があった。

「私たちがどうすれば前進できるか、イラン核合意に復帰するには何が必要か、そうした話し合いにイランが参加する姿勢を変えていないことは喜ばしい」

折しもイランがナタンズの核施設で濃縮度60％のウラン製造に着手したばかり。イランが核合意の再建に向けた交渉に真剣でないのではないかと問うロイター通信の記者の質問に、バイデンは一定の対イラン批判を交えながらもこう答えた。

イラン核合意で定められた濃縮度の上限は3・67％。核開発制限を段階的に逸脱してきたイランは、トランプ政権下で濃縮度を4・5％、20％と順次引き上げた。核兵器級の90％に一気に迫る60％は、それまでとは次元が異なる強硬策だ。にもかかわらず、バイデンは対話の扉を閉ざさない姿勢を改めて明確にしたのである。対イラン強硬策一辺倒だったトランプ時代からの決別を象徴する場面に思えた。

トランプ政権下で米イラン関係は一時、戦争前夜のレベルにまで達した。バイデン政権発足後も、イランは濃縮度60％のウラン製造に加え、核弾頭にも使用可能な金属ウラン製造、ＩＡＥＡの核査察制限といった重大違反に次々と踏み切った。米国に譲歩を迫る駆け引きの側面もあったが、イラン核合意は崩壊寸前のままだった。

米政権交代で夜明けは到来するのだろうか。その答えは、民主党バイデン政権の顔触れや意思決定プロセスを分析すれば、おぼろげながらも展望できる。国務長官のアントニー・ブリンケン、大統領補佐官（国家安全保障問題担当）のジェーク・サリバン、国務副長官のウェンディ・シャーマン。政権高官にはオバマ政権でイラン核合意の交渉などに携わったメンバーが揃っていた。イランの体制転覆を狙う高官さえもいたトランプ政権との差は明白だ。

２０２０年1月のソレイマニ暗殺は、トランプが米軍から提示された中で最も極端な選択肢を取った結果だと言われている。２０２１年2月に米軍がシリア東部で神の党旅団の施設を空爆した際には、バイデンは米軍が提示した選択肢のうち小規模な作戦を採用した。現地の米大使館や米軍駐留基地付近が攻撃を受けたことに伴い、広義の意味でイラン側に報復したという共通点はあったが、軍事オプションの判断基準は実に対照的だった。

イラン核合意の立て直しに向け、２０２１年4月にウィーンで始まった米イランの間接協議は、そうしたバイデン外交の一里塚となった。仲介役として、欧州連合（ＥＵ）が別々の場所で構える米イラン代表団の間を行き来し、相手のメッセージを届けるシャトル外交を展開した。直接交渉はハードルが高くとも、対話のチャンネルは復活したのである。

とはいえ、溝は依然として深い。バイデン政権もイラン核合意の問題点として、核兵器の運搬手段にもなる弾道ミサイル開発を制限できていないことを挙げた。トランプ政権が科した米制裁のうち、革命防衛隊関連の制裁は維持する方針も示した。イランがシーア派の弧で代理勢力を育て、強い影響力を保つ現状も看過しない姿勢を明確にした。一方のイランは、いずれも安全保障上の国策だとして譲歩せず米制裁の全面解除を要求した。

「極めてリーズナブル（理性的）だ」。バイデンについて、実務に通じた日米外交筋からはこんな評価を聞かされたことがある。当初は自身が副大統領を務めていたオバマ政権の路線をそのまま踏襲するとの見方が強かったが、必要と判断すればトランプ政権の方針を引き継ぐしたたかさも備えていた、という意味だ。

確かに、バイデン政権は気候変動問題を外交の柱に据え、トランプ政権が離脱したパリ協定に早々に復帰した。アメリカ・ファーストを掲げたトランプ時代から一転、同盟国重視の姿勢も改めて示した。一方で、中国を「唯一の競争相手」と定義付け、対中強硬路線はそのまま堅持した。こうした是々非々の姿勢は、対イラン政策にもそのまま当てはまる。たとえすべての事柄が順調に進んだとしても、米イラン関係の行く末には紆余曲折がありそうだ。

イスラエルの強硬路線

米政権交代は米イラン関係の方向性を大きく変えるゲームチェンジャーにはなったが、

イラン情勢の前途にはいくつもの不確定要素が存在し、依然として軽々に予断できる状況ではない。さしあたり鍵を握るのがイラン内政、そして中東最強の軍事力を持つ米同盟国イスラエルの動向だろう。

イランでは2021年8月、穏健派ロウハニの有力後継候補が排除された大統領選で圧勝した反米保守強硬派ライシが大統領に就任した。妥協的な外交を嫌い、革命防衛隊や司法当局を岩盤支持層に抱える保守強硬派は、2020年2月の国会選でも圧勝しており、これで行政、立法、司法の三権を掌握したことになった。ライシ政権は米国との間接協議を継続する姿勢を見せているが、対決姿勢が強まる方向に相応の作用が働き、交渉のハードルは格段に上がる、というのが衆目の一致するところだ。イランの核開発が着々と進展し、核兵器1個分の原料獲得に向けたブレークアウト・タイムが大幅に短くなっている中、核交渉が漂流し、情勢緊迫が再来するリスクも決して低くはない。

既に80歳を超えている最高指導者ハメネイの後継者も焦点だ。イラン指導部が露骨とも言えるレベルで「無風選挙」をお膳立てし、ライシを大統領ポストに就けたのは、次期最高指導者に就任させるために布石を打ったとの見方も根強い。いずれにせよ、反欧米思想の強いイスラム聖職者が選出されれば、イラン核合意の存続自体が覚束なくなるかもしれない。

イランを安全保障上の最大の脅威と捉えてきたイスラエルでも2021年6月、12年ぶりに政権が交代し、長期にわたり対イラン強硬路線を推進してきたベンヤミン・ネタニヤフ首相が退陣した。左派やアラブ系も混ざる8政党の連立政権が発足し、新たに首相に就任したナフタリ・ベネットは政権基盤が脆弱だが、右派政党ヤミナを率いる本人はネタニヤフ以上に右寄りだと自認する。

イスラエルはこのところ、イラン核合意復帰を窺うバイデン政権に焦りを募らせ、一線を踏み越えた行動が目立っている。2020年11月にイランの核開発計画で中心人物だった核科学者モフセン・ファクリザデが暗殺された事件、2021年4月にナタンズの核施設で爆発が起きて遠心分離機が破壊された事件は、イスラエルの極秘作戦やサイバー攻撃だったとの見方が有力だ。ベネット政権も核合意阻止のベースラインは堅持しており、今後も米イラン対話の頓挫を狙って挑発行為を続ければ、報復の連鎖に発展する可能性も否定できない。

最大のライバル中国をにらみ、外交・安全保障の軸足をインド太平洋へと移したバイデン外交も、決して順風満帆ではない。イランの隣国アフガニスタンでは2021年8月、ガニ元政権を支えてきた駐留米軍が撤退する間隙を突き、イスラム主義組織タリバンが実権を掌握した。バイデンは「米軍がアフガンを見捨てた」との批判にさらされ、中東を含めた国際社会における米国のリーダーシップに陰りが露呈した。

波乱含みの中、イラン情勢の新時代はバイデン、ライシ、ベネットという3人の新たなリーダーを軸に推移していくことになる。もっとも、外交・内政ともにさまざまなファクターが作用を及ぼし合ってきたイランの行方を正確に占うのは不可能だ。私たちにできることは、一つ一つの事象に目を凝らし、丹念に情報収集や分析を進めていくしかないのだろう。

水面下の「P5+2」構想

「イラン核問題の外交交渉が本格化していた10年前くらいのことだったか。イランとの交渉に当たる米国、英国、フランス、ドイツ、中国、ロシアの枠組みに、実は日本政府も入れてもらうよう働き掛けようとしていた」

2021年4月、東京都内で懇談した日本政府関係者の回想に、私は強い関心をそそられた。そんな話はテヘラン駐在中も聞いたことがなかったからだ。イランや湾岸諸国を所管する外務省中東第二課に問い合わせたところ、やはり表沙汰になっている事実関係ではないようだった。

前述の通り、国連安保理の5常任理事国である米英仏中ロにドイツを加えたこの枠組みはP5+1と呼ばれ、歴史的なイラン核合意の当事国となった。言われてみると、ドイツが参加するのであれば、対イラン友好関係と国際的影響力を併せ持つ日本が後に続かない理由はなかった。結果的に実現はしなかったが、核問題当事国に日本も名を連ねる「P5

＋２」構想は水面下で存在していたのである。

　この政府関係者はさらに続けた。「日本政府は前々からイラン核問題に関心を持ち、解決のために積極的に協力したいと考えてきた。核軍縮や原油調達先という意味合いだけではない。日本の国益にとって、それだけ中東地域の平和と安定は大事なんだ」

　事実、イラン情勢が最も張り詰めていたトランプ時代も、日本は日本なりのやり方で外交努力を重ねてきた。

「何としても武力衝突を避ける必要がある。緊張緩和に向けて、日本としてできる限りの役割を果たしたい」。トランプと個人的な蜜月関係を築き、米イラン間の仲立ちを本人から直々に頼まれた元首相の安倍は、積極的に行動を起こした。２０１９年６月にはテヘランを訪問してロウハニやハメネイとそれぞれ会談し、対話の重要性を訴えた。半年後の２０１９年12月、ロウハニはイラン大統領として19年ぶりに来日し、首相官邸で安倍と中東情勢の安定化や核合意の再建を主テーマに会談した。

　世界の注目を集めた仲介外交だが、期待通りの成功を収めることができたわけではなかった。ハメネイは会談後に「（米国の）発言は信用できない」との声明を出し、安倍の提案を一蹴した。それどころか、会談当日にホルムズ海峡付近で日本の国華産業が運航するタンカーが攻撃され、逆に事態は風雲急を告げた。元側近の回顧録によると、トランプはテヘラン訪問の結果を報告する安倍に対し、完全な大失敗に終わったのを気に病むことはない、とまで言ったという。ソレイマニが米軍の極秘作戦で暗殺されたのは、官邸での日イラン首脳会談からわずか2週間後だった。日本政府が目指していた米イラン首脳会談の実現は、夢物語に終わった。

結果は裏目に出たともささやかれたが、当時の日本政府の判断が稚拙だったとは決して言えない。戦争を回避するための試みはそれ自体に価値があるし、あれほどの危機下において同じ外交努力をできた国が他にあっただろうか。次から次へと不測の事態が起き、目まぐるしく局面が変わりゆく。一つ一つの出来事を時系列で追っていくと、むしろいかにイラン情勢が流動化し、のっぴきならない状況だったのかが浮かび上がる。

イランにとって日本はオンリーワン

1期4年、ないしは2期8年続くことになるバイデン時代において、日本はイラン情勢にどう臨んでいけばいいのか。中東は地理的に遠い上、迂闊(うかつ)に手を出せばやけどしかねない外交テーマなのかもしれない。東・南シナ海で急速に軍事的台頭を強める中国、非核化交渉が停滞する北朝鮮への対応を優先すべきだという意見ももっともだろう。ただ、間違ってもイランを対岸の火事で済ませ、適当にやり過ごしてはならない。

原油輸送の大動脈ホルムズ海峡は、年間約1700隻もの日本船舶が通過する。国華産業のタンカー攻撃事件以降、海運各社は現場海域を全速力で航行するなど警戒を強化する必要に迫られたほか、戦争やテロに備える船舶の保険料率は大幅に上昇した。日本国内のガソリン価格が記録的高値を付けたことで、しわ寄せは一般消費者にも及んだ。

日本が原油輸入の３〜４割を頼るサウジアラビアで石油施設攻撃事件が発生した際には、供給不足の懸念が広がった。国内マーケットが混乱する事態を回避するため、経済産業省は対策本部を立ち上げて対応に追われた。世界が脱炭素化の流れにあっても、日本経済がエネルギー面で中東に依存する構図は当分変わらないだろう。

国華産業のタンカー攻撃事件では、イランの犯行と断じたトランプ政権がホルムズ海峡の安全確保を目的に有志連合を結成し、同盟国に参加を呼び掛けた。対イラン包囲網の色彩も濃い枠組みで、イランとの友好関係も重視する日本は参加を見送ったが、足並みをそろえるために海上自衛隊の護衛艦やＰ３Ｃ哨戒機を周辺海域に独自派遣した。防衛省設置法の「調査・研究」を根拠にした任務は米政権交代後も続いている。日米同盟の深化で自衛隊と米軍の運用の一体化が進んでいく傾向を踏まえれば、ますます当事者意識をもって中東情勢を眺める必要も生じそうだ。

そして何より、日本で生活していると想像が及ばないほど、イランにとって日本はオンリーワンの存在だ。これだけ伝統的な友好国でありながら、米国とも腹を割って話せる国家は他に見当たらない。日本政府高官が訪問すれば、地元メディアは「破格の扱い」（イラン人記者）で大々的にニュースを報じる。国民生活にはトヨタやソニーといった日本製品が深く根付き、ＮＨＫ連続テレビ小説「おしん」やアニメ作品は高い人気を誇る。現地で肌感覚で思い知らされたのは、欧州や中ロといった名だたる大国をも凌ぐ期待や親近感だった。対話局面と緊張局面のいずれにおいても、日本は貴重な立ち位置を生かしながらポジティブな作用を及ぼすことができるのだ。

たとえ地図上で遠く離れていても、イランという国は日本の政治経済や社会、ひいては私たちの日常に意外なほど結び付いている。この間の情勢緊迫は、図らずもそうした現状をあぶり出したと言えるのではないか。

イランを巡る対立の糸は、あまりにも複雑に絡み合っている。これからも容易にほぐれていくことはないだろう。イラン情勢が新たな章を迎えた今、だからこそ日本が果たすべき役割は重い。

第2章 絡み合う対立の歴史と現在

旧米大使館前で繰り広げられる反米デモで火を放たれたトランプ大統領の人形（2017年11月4日）

栄光と屈辱の記憶

広大な敷地の外壁には長きにわたり、骸骨の顔をした「自由の女神」が描かれていた。イラン革命40年に合わせ、たいまつを握っているはずの右手が引きちぎられた新デザインと交代して以降も、壁画が反米イランの象徴であることに変わりはない。

2階建てレンガ張りの旧米大使館は、テヘラン都心部のタレガニ通りに面していた。一等地というロケーションや、他国の在外公館をはるかに凌駕（りょうが）する敷地面積が、かつての米イランの強固な絆を物語る。革命直後の国交断絶に伴い、米代表部としての役割をはるか昔に終えた建物は、イランの保守強硬派が反米プロパガンダの資料館として開放していた。米当局者が諜報活動に重宝したという通信機器、極秘文書の隠滅に一役買ったとされる大型シュレッダー。「スパイの巣窟」の異名を取る館内には、米国が犯した「蛮行」を糾弾する数々の展示品が並べられ、わずかながら外国人観光客も訪れていた。

なぜイランは反米国家となったのか。トランプ時代の情勢緊迫、バイデン時代にも依然としてくすぶる確執。これらにつながる国家風土を理解するには、過去へと目を向けてみる必要がある。

イランの悠久の歴史には、栄光と屈辱の記憶が溶け合っている。

旧米大使館の外壁に描かれていた、反米イランを象徴する「自由の女神」

紀元前550年、世界史上初の巨大帝国アケメネス朝ペルシャが成立したのは、現在のイランの地だった。東はインダス川流域、西は今のトルコやリビアに至る領土を統一し、オリエント世界に君臨。イラン人の民族的な自尊心の源泉ともなってきた。王宮ペルセポリスは各地から朝貢の使者が訪れるなど栄華を誇ったが、マケドニアのアレクサンダー大王の東征で炎上し、アケメネス朝は紀元前330年に滅亡した。

3世紀にはササン朝ペルシャが勃興し、ヨーロッパと中国を結ぶシルクロードの貿易で繁栄した。日本・奈良の正倉院に宝物として所蔵されているガラス器「白瑠璃碗」は、ササン朝伝来の工芸品として有名だ。国教としたのは、古代ペルシャより信仰され、火を神聖視する風習や善悪二元論で知られるゾロアスター教。現代のようにイスラム色が強まったのは、ササン朝が7世紀にアラブ軍の侵攻を受けて滅亡し、多くの信者が改宗してからだった。

外来のイスラム勢力やモンゴル系の王国などに支配される時代が続き、16世紀になると統一王朝サファビー朝が成立した。ササン朝から850年ぶりのペルシャ王国の登場だ。国教は現代イランと同じイスラム教シーア派になった。ペルシャの伝統を大事にし、国王の呼び方はアラブ風の「スルタン」から、ペルシャ語で支配者を意味する「シャー」に変わった。名君アッバース大帝は壮大な都イスファハンを建造し、「イスファハン・ネスフェ・ジャハーン（イスファハンは世界の半分）」と称された。

ペルシャ人の誇りが傷つき、徐々に帝国主義列強の支配が強まっていったのが、18世紀に興ったカジャール朝の時代以降だ。圧倒的な軍事力を背景に、ロシアや英国、フランスからは次々に不平等条約を結ばされた。20世紀初頭には、第2次産業革命で「宝の山」となった石油資源を狙う英国によって保護国化された。さらには英国の支援を受ける軍人出身のレザ・ハーンが蜂起し、クーデターを起こしてカジャール朝に引導を渡した。1925年、イラン最後の王政となるパーレビ王朝の誕生だった。

シャーとなったレザ・ハーンは古代礼賛を掲げ、国名を「ペルシャ」から「イラン」に変更した。ペルシャは欧州の歴史家がイラン南部ファルス地方に用いた呼称が起源となっていたのに対し、イランは領土全体を指す地元由来の言葉であり、古来イランの地に住み着いたインド・ヨーロッパ語族のアーリア人の語源にもなっていたからだった。第2次大戦中の1941年、皇太子モハマド・レザ・パーレビが王位を継承したが、英国と旧ソ連の占領を受け、終戦後も英資本による石油権益の独占は続いた。

今も潜むパーレビ王政期を懐かしむ声

英国の搾取への反発からナショナリズムが高揚した1951年、反旗が翻される。国民に厚い人望を誇った民族主義派モサデク首相が、石油国有化を宣言したのだ。利権を手放したくない英国は海上封鎖に踏み切り、イランは石油を販売できずに困窮した。その上、米中央情報局（CIA）が英情報機関と協議し、1953年にクーデターを画策した。イラン人協力者が街頭行動に出て首相解任を訴え、CIAの意を受けた軍関係者が新首相就任を発表するというシナリオの通り、モサデクは失脚に追い込まれた。米情報機関が極秘作戦で一国の政権転覆を実現した事実は驚嘆に値するが、実情を知る米政府関係者が「CIAの唯一、最大の勝利と見なされた」と振り返るほど、幸運も重なったことによる望外の結果だったという。

日本の石油会社、出光興産の大型タンカー「日章丸」が英国の海上封鎖をくぐり抜け、イランで買い付けた石油製品を満載して川崎港に戻ったのは、その間のことだ。日章丸事件と呼ばれ、今日のイラン人が抱く親日感情の源の一つとなっている。

クーデター以降、親米路線を強化した国王パーレビは、1963年に近代化と西洋化を目指す「白色革命」に着手した。大規模な土地改革を断行し、女性には参政権を付与した。1973年の石油危機で原油価格が高騰したことを追い風に、米国からは最新鋭兵器を次々に購入し、官僚組織を巨大化させた。ナイトクラブが立ち並ぶテヘランの繁華街にはミニスカートの女性が行き交い、「中東で最も自由な国」とも称された。

経済成長は目覚ましかった一方で、急激な社会の変化から貧富の差が拡大し、汚職も横行した。国民の反感は高まったが、パーレビはCIAなどの協力で創設した秘密警察サバクを使い、反対派を弾圧した。米国は軍事顧問団や国営企業のコンサルタントを送り込み、後ろ盾として王政を支えた。

ところが、パーレビや米国の思惑とは裏腹に、イラン国内で反王政運動は劇的に勢いを増していった。1978年1月にはシーア派の聖地コムで暴動が発生し、全土に飛び火しながら2000万人規模にまで膨れあがった。事態収拾に失敗したパーレビは、専用機を自ら操縦して亡命した。王政を崩壊に至らしめた、1979年2月のイラン革命だった。

国民にカリスマ的な人気を誇り、亡命先のフランスから王政批判を続けてきたのが、革命指導者となったイスラム聖職者ホメイニだった。革命勢力は当初、宗教勢力、リベラル派、左翼が混ざり合っていたが、組織力で勝る宗教勢力が権力闘争の末に反米イスラム体

1979年２月のイラン革命時にテヘランで演説するホメイニ師（ロイター＝共同通信）

制を確立した。

パーレビは米国に一旦は逃れたが、革命翌年の１９８０年に最終的な亡命先のエジプトで死去した。墓石は首都カイロのリファイモスクの片隅にひっそりと佇む。２０１７年１月に私が訪問した際、昼下がりの墓前に参拝者は見当たらなかった。再び祖国の土を踏むことが叶わないまま、孤独な最期を迎えたパーレビの生涯が投影されているようだった。

現在のイスラム革命体制に閉塞感を抱く国民の中には、パーレビ王政期を懐かしむ声が潜んでいるのも事実だ。とはいえ、「反米イラン」が産声を上げた底流に、かつて利権のために内政干渉を続けた米英の対イラン政策があったことは無視できない。当時を知る世代や革命体制に忠実な保守強硬派を中心に、反欧米感情のしこりは根強く残されることになった。

学生たちはなぜ米大使館人質事件を起こしたか

リベラルな親米王政から一転、「反米」を国是とする厳格な宗教国家が誕生したイラン革命は、国際社会に衝撃を与えた。革命指導者ホメイニは「イスラム革命の輸出」を唱え、ペルシャ湾岸のスンニ派王政諸国などの警戒を招いた。ユダヤ人国家イスラエルの生存権を真っ向から否定し、敵国関係になった。中東の勢力図は大きく変容することになった。

そんな中、米イランの国交断絶の端緒となった米大使館人質事件は起きた。革命から約9カ月後の1979年11月4日、400人近くの学生グループがテヘランの米大使館を占拠し、外交官ら52人を人質に立てこもった。超大国のエリートで、外交特権で身体の不可侵を保障されているはずの外交官が444日間拘束された顛末は、世界を震撼させた。

どうして学生たちはこの空前絶後の大事件を引き起こしたのか。2017年11月、かつて広報担当だった女性に話を聞いた。インタビュー当時はイラン政府で女性・家族担当の副大統領を務めていたマスーメ・エブテカール(57)だ。

「革命直後の不安定な状況下で、米国の支配はもう許されないとの強いメッセージが必要だった」。テヘラン市内にある政府機関庁舎の上階で、保守的な黒のチャドル(外衣)姿で現れたエブテカールは振り返った。ネイティブレベルの英語力と立て板に水の弁舌は、各国のテレビ画面に頻出していた事件当時から変わっていなかった。

テヘラン生まれのエブテカールは、研究者だった父親の米国留学に伴い、幼少期を米ペンシルベニア州で過ごした。米国生活は良友との甘い思い出であふれていたが、パーレビ王政末期のイランに帰国後、疑念が芽生えた。社会格差にあえぐ生活困窮者や、秘密警察サバクの弾圧を目の当たりにしたからだ。「シャー（国王）の独裁の裏で米国が糸を引いている。私が知っていたはずの米国の人々の姿とは、あまりにも違うではないか」

だからイラン革命が実現した時は、イランがようやく欧米の内政干渉と植民地主義から自由になることができたと嬉しかった。ところが、逃亡したパーレビの身柄は、あろうことか後ろ盾の米国が受け入れた。両者が再び結託するのではないか。ＣＩＡが暗躍し、モサデク政権を転覆させた１９５３年のクーデターの史実が頭をよぎった。

そんな時、同じように憤り、行動を起こした学生たちがいた。米大使館を乗っ取り、米国にパーレビの身柄引き渡しを迫った決死の計画。「今度こそ米国の陰謀を断ち切らなければならない」と共感していたところ、語学力を買われ広報担当になるよう頼まれた。事件が進捗するにつれ、世界のメディアは「Mary（メアリー）」の呼称とともに、エブテカールを学生グループの顔的な存在として取り上げた。

当時のニュース映像を確認すると、動じることなくカメラの前に立つエブテカールは、どれも強面で冷徹な印象を与える。米国が限定的な軍事オプションに踏み切ったらどうするつもりなのか記者に問われたところ、「人質の身柄は丁重に扱われている。ただ、どんな形でも軍事的介入があった場合には葬り去る」といった具合だ。

だが、内面は必ずしも同じではなかったようだ。「真実が伝わっていないために、イランは世界から誤解されている。私はそんな国の代弁者なんだ」と自分に言い聞かせ、必死の思いで情報発信を続けていたという。珍しく与えられた非番の日は米大使館の敷地を出て、友人とのハイキングで気持ちをリセットした。事件発生444日目になってアルジェリアの仲介で人質が解放された瞬間には「やっと大好きな勉強に戻れる」とほっとした。たとえ米国から「狂信的」とのレッテルを貼られようが、素顔はあどけなさが残る20歳前後の女子学生だった。

国内初の女性副大統領に

米大使館人質事件後、エブテカールは英字紙の編集長、大学教員を経て、女性の政界進出の草分け的存在となった。改革派モハマド・ハタミ政権下の1997年に副大統領職に初就任した際は「国内初の女性副大統領」だった。訪日歴が豊富で、イランきっての知日派として知られるようになった。2020年2月に新型コロナ感染が確認された際は、日本の新聞やテレビでもニュースになったほどだ。

事件は米イラン関係に拭いがたい禍根を残した。米国では党派を問わぬイラン警戒論につながり、現在も米国民にイランをどう思うか尋ねてみると「悪だ」と返答されることがしばしばだ。イランでは「第2の革命」と激賞され、事件後も指導部は謝罪や遺憾の意を一切表明してこなかった。

エブテカールもまた、米国への不信感は消えないと言い切った。一方で、米国との向き合い方についてはこうも語った。「革命から長い年月が流れ、イランの社会も安定した。立場に違いがあるからこそ、対話は必要なのだと今は思う」。政治的には、欧米との関係改善を探る改革派に身を置いている。波乱に満ちた半生を辿り、形を変えながら米国との縁を持ち続けてきた彼女は、最後に複雑な胸の内を覗かせた。

「反米の英雄」が打ち明けた後悔

現職の米大統領を模した人形が棒の先端に吊され、燃えていた。いくつもの生地を組み合わせ、トレードマークの金髪や赤のネクタイまで再現しているから間違えようがない。顔部分にはお馴染みのしかめ面。炎が勢いを増すにつれ、表情はいびつにゆがんだ。

トランプの人形はものの数十秒で焼け落ち、灰燼（かいじん）に帰した。すかさず、黒のチャドルをまとった中年女性が足蹴にした。そしてとどめだと言わんばかりに、手にしていた弾道ミサイルのプラカードを勢いよく突き立てた。絶好のシャッターチャンスを狙っていた報道陣が、競うようにカメラを向けた。

路面には巨大な星条旗が描かれている。人が通るたび、ちょうど靴の底で踏みつけられるような格好になるからだ。現場一帯は何千人、何万人もの大群衆で埋め尽くされていた。「マルグ・バル・アメリカ（米国に死を）」の絶叫は、どこに立っていても聞こえてきた。

すべては周到に配置された舞台装置だった。旧米大使館前のタレガニ通りでは米大使館人質事件の記念日である11月4日、国内最大規模の反米デモが開催される。イラン指導部が事件の国家的意義を宣伝し、反米の国是を改めて誓うためだ。保守強硬派の大量動員に支えられた「官製デモ」ではあったが、トランプ時代さなかの２０１７年はオバマ時代よりも過激化が顕著だった。米国のイラン核合意離脱に先立ち、米イランの政治リーダーも非難の応酬を繰り広げていた。

遡ること数日前、雑踏の喧噪から離れた住宅街の一角で、私はかつて事件を起こした学生グループの中心人物と向き合っていた。小柄な体軀に、白い口ひげ。アイロンのかかったワイシャツ。応接間のソファに身を沈めたモフセン・ミルダマディ（62）は、初老のイラン人紳士といった風貌だったが、眼鏡の奥の眼光は鋭く、口を開けば雄弁だった。

「ほんの数日間で終わらせるはずだった。米大使館の占拠が長期化するのは正しくないと考えていた」。インタビューの冒頭、ミルダマディは事件が想定外の結果を招いたと打ち明け、後悔の念を口にした。世紀の修羅場で辣腕を振るった過去を考えれば、意外な言葉だと言えた。内省的に思索を深めてきた彼の姿を、反米デモに熱狂する群衆と対比させずにはいられなかった。

ミルダマディは水面下で用心を重ねながら、あの大胆不敵な事件の構想を練り上げた。ごく少数の幹部級の仲間とともに申し合わせたのは、可能な限り非暴力闘争に徹しようということ。事件直前、呼び掛けに集った400人近くの学生らに対し、銃は携帯しないよう念を押した。ひとたび計画を実行に移せば刻一刻と移り変わる状況を完全にコントロールできなくなることは分かっていたが、米外交官をむやみに脅したり、危害を加えたりはしないよう意思統一を徹底した。

1979年11月4日の朝。学生グループは警備の隙を突き、米大使館の敷地のフェンスを次々に乗り越えた。催涙弾が放たれたほかは、抵抗は拍子抜けするほどなかった。人質となった外交官は怯えた表情を見せた。「彼らは米国の代表だ。身柄は丁重に扱おう」。すべては計画通りに進んでいくはずだった。

目算は突然、狂い始めた。革命指導者ホメイニが学生グループを称賛し、米大使館人質事件に全面支持を表明したことで、現場一帯に同調した大群衆が殺到した。「私たちだけではもうどうにもならない」。次第に収拾が付かなくなり、ミルダマディは事実上、イラン指導部に判断を委ねた。なぜあの時、早期の幕引きを進言しなかったのか。

時の経過とともに事態はこじれた。1980年4月、米国はイランと国交を断絶した。米軍特殊部隊が人質救出作戦に乗り出し、ミルダマディたちが占拠する米大使館を目指した。ところが、作戦途中にイランの砂漠地帯で輸送機とヘリコプターが衝突し、米兵ら8人が死亡した。米国内では政権批判が広がり、1980年11月の大統領選で民主党の現職ジミー・カーター大統領が共和党の新人候補ロナルド・レーガンに惨敗する一因となった。事件終結までには最終的に444日間を要した。

ミルダマディはイランで「反米の英雄」としてもてはやされた。懸念していた米軍の本格的な軍事介入も、招かずに済んだ。反王政運動に身を投じた革命前、仲間の多くが秘密警察サバクに弾圧された記憶は忘れない。パーレビを後ろ盾として支え、亡命を受け入れた米国の判断も、正しかったとは絶対に思えない。胸に小さなわだかまりが芽生えてはいたが、自身の使命を全うすることができたと信じていた。

「いがみ合う時代は、もう終わった」

事件から約10年が経過した1989年、国家と人々を分断してきた東西冷戦が終結を迎えた。超大国間の緊張緩和が進み、世界は多極化した。ミルダマディは国際秩序の地殻変動を目にするにつれ、イランは本当にこのままでいいのだろうかと疑問が膨らんだ。「いがみ合う時代は、もう終わったのではないか」

　今こそ政治を変える時だと、政界の中心に身を投じる決心をした。欧米との関係改善を掲げる改革派のリーダー的存在となり、派内で最大政党の党首に担ぎ上げられた。２００５年に保守強硬派アハマディネジャド政権が発足し、イラン核問題などで対米関係が極度に悪化した時期、先頭に立って米国との融和を訴えた。

　カリスマ性が高いミルダマディに対し、イラン指導部に忠誠を誓う関係当局は次第に警戒色を強めた。ついに「革命体制を揺るがす存在」と判断されたのは、アハマディネジャドが再選された２００９年の大統領選後だった。対抗馬の改革派候補を支援していたミルダマディは、開票結果の不正疑惑を訴える全国的な抗議デモに加わるやいなや、身柄を拘束された。裁判では実刑判決が確定し、獄中生活を送った。牢獄の外に出て以降も、政治活動は禁じられた。事件後に同じ政界に進みながらも、政権要職に起用されたエブテカールとは命運が分かれた。

　米イランの過去は40年超の歳月を経た今もなお、清算できていない。緊張が頂点に達したトランプ時代、人目を忍んでの隠居生活下で憂慮を深めていたミルダマディ。「衝突を回避するための努力が、今ほど必要とされる時はない」。かつての反米の英雄は、米大使館人質事件で生じた歯車の狂いがわずかでも修復される日を待ち望んでいた。

民間機撃墜、過去から学べず

黒焦げのまま、荒野に散乱する機体の残骸。空港に駆け付けた犠牲者の遺族らは顔を手で覆い、涙ぐむ。2020年1月8日、午前6時18分。テヘラン発キエフ行きのウクライナ国際航空の民間旅客機は、テヘラン郊外のイマーム・ホメイニ国際空港を離陸直後、イラン革命防衛隊のミサイルによって撃墜された。

英雄ソレイマニを米軍に殺害された報復として、イランがイラクの米軍駐留拠点を弾道ミサイルで攻撃した約5時間後で、さらなる報復攻撃に備えて厳戒態勢を取っていたさなか。現場付近で移動式防空システムを操作していた革命防衛隊員は、直前に巡航ミサイルが発射されたとの誤情報に惑わされ、レーダー上のウクライナ機をミサイルと誤認、迎撃ミサイル2発を発射したとされる。

同機に搭乗していた乗客乗員計176人は、全員死亡した。当初から撃墜説が欧米側から出ていたにもかかわらず、イランが発生3日後になるまで機体の技術的トラブルに起因する事故と主張していたことは、遺族の反感を招いた。国民を守るはずの革命防衛隊が逆に国民の命を奪う結果となったことは、イラン社会に深いわだかまりを残した。

現場の映像を目にした瞬間、嫌な既視感を覚えずにはいられなかった。30年あまり遡った1988年7月3日、イラン沖のホルムズ海峡付近ではほぼ同じ経過を辿って民間旅客機が撃墜されていたからだ。皮肉にも当時イランは被害者、加害者は米軍だった。

　この出来事はイラン航空機撃墜事件と呼ばれ、当時はイラン・イラク戦争（１９８０〜88年）の末期だった。イラン南部バンダルアバス発UAEドバイ行きの国営イラン航空６５５便に向けて、ペルシャ湾岸に展開していた米イージス艦ビンセンスが対空ミサイルを発射し、乗客乗員２９０人全員を死亡させた。ちょうど現場海域でイランの高速艇と交戦中で、接近するイラン航空機をレーダー上でイラン空軍のF14戦闘機と誤認したことが原因だった。

　イラン・イラク戦争とは、イラクのフセイン政権が革命黎明期の混乱に乗じてイランを奇襲攻撃したことで火ぶたが切られ、８年間で両国に計１００万人の死傷者が出たと言われる戦争だ。イランと断交後、冷戦下でソ連の南下に神経をとがらせる米国は、イラクに「防波堤」の役割を期待した。イランが唱える「イスラム革命の輸出」を警戒する多くの周辺国と同様、戦争中はイラクに終始肩入れし、イランとは敵同士の関係だった。

　このほろ苦くも大切な教訓は生かされなかったのか。罪のない自国民の命が奪われた悲劇を、イランは決して忘れることができなかったはずだ。

　イラン航空機撃墜事件の発生から29年を迎えた２０１７年7月3日、私はホルムズ海峡付近の海上で催された犠牲者の追悼式典を取材した。ペルシャ湾に面した港湾都市バンダ

イラン航空機撃墜事件の現場をフェリーで訪れた遺族らの姿。後ろには武器を搭載したイラン革命防衛隊の船舶も見える（2017年7月3日）

ルアバスを出航した特別フェリーは、波風のない水面をゆっくりと進み、1時間前後で現場海域に到着した。

ホルムズ海峡は、夏至に太陽が真上を通る北回帰線に近い。クーラーが効いた船室からドアを開けてデッキに出ると、すぐに汗が滝のように流れ出した。快晴の空から灼熱の日差しが容赦なく降り注いでいる。まだ朝方なのに気温は摂氏50度前後に達していた。スチームサウナのような蒸し暑さで、息を吸い込むのすら苦しかった。

遠くには巨大な原油タンカーの船影が確認できる。ホルムズ海峡は世界で海上輸送される原油の約4割、日本の輸入原油の約8割が通過する原油輸送の生命線だ。安全な航行に適した水深があるのは幅わずか数キロとされるが、意外にも特別フェリーの航路上から水平線は一望できた。この海域から東のオマーン湾の方角に進んでいくと、2019年6月に日本の海運会社のタンカーが攻撃された現場にたどり着くことになる。

特別フェリーの周囲には、機関銃を搭載した小型船舶が護衛するように航行し、迷彩柄のヘリが低空飛行していた。追悼式典を主催する革命防衛隊だ。目を凝らすと、突き上げた拳に銃を握りしめたおなじみのロゴが見えた。

事件の発生時刻を迎えた。太陽の光を照り返す青海原に、花が手向けられる。特別フェリーのデッキに遺族の嗚咽が響く。「この海の底に眠っている妹は美しい女性だった。彼女は死に見合わない」。中年女性は手すりから身を乗り出し、犠牲者の名前を繰り返し叫んだ。もう年齢が追い付いていそうな父親の遺影を手にした男性（31）は「建設労働の出稼ぎで機体に搭乗したのに、何の罪でこんな目に遭ったのか」とつぶやいた。

デッキの中央では、深緑の制服をまとった革命防衛隊の隊員たちが厳粛な表情で海面を見つめる。その様子が国営メディアを通し、国内全土に一斉に発信されていく。事件を巡っては、米国が既に「人為的ミスだった」と誤射を認めている。

この日は、イランのイスラム革命体制が国是に据えてきた「反米」の正当性を思い起こす決意の日でもあった。やり場のない遺族感情が、炎天下の現場海域に渦巻いていた。積年の対立を経てきた米イランの間に、いかに深い禍根が残されているかを目の当たりにする思いだった。

なぜ遺族少年は復讐をやめたのか

イラン航空機撃墜事件の追悼式典で、特別フェリー船上にいたカメラマンの一人も遺族だと知ったのは、プログラムも佳境を過ぎたころだった。ラフなチェック柄のシャツを身に付け、使い古した富士フイルムの一眼レフを首からぶら下げている。一見したところ、イスラム革命体制の強い影響下にある国営メディアの所属ではなさそうだ。

彼はヘサモディン・アンサリアン（39）だった。事件当時は10歳の少年。米イージス艦ビンセンスに撃墜された国営イラン航空655便に、父イブラヒムが搭乗していた。「米国を憎むのはもうやめた」。心境を尋ねると、思いがけない言葉が返ってきた。その日に私が目の当たりにしてきた他の遺族のように泣き崩れたり、取り乱したりする様子もなかった。どういった半生を辿ってきたのだろう。

イブラヒムはドバイ在住の親族を訪ねようとしていた。当初はアンサリアンも連れて行くつもりだったが、何らかの理由で思い直したのか、フライト3日前になって予約を1人分キャンセルしたらしい。「どうやら機体が離陸後にトラブルに遭ったようだ」。異変の知らせは、自宅にかかってきた親族の電話だった。母とともにペルシャ湾を臨む港に駆け付け、子どもながらに生存が絶望的であることを悟った。

現場海域での捜索活動もむなしく、遺体は見つからなかった。死に目にも会えなかったが、大好きだったイブラヒムは本当にいなくなってしまったのだろうか。そうそう、父さん。僕が小学校の入学初日に不安で泣いてしまった時、そばで「明るい未来が待っているよ」と励まし、ぎゅっと手を握ってくれたよね。優しかった面影ばかりが蘇った。しばらくは死の事実を受け入れることができなかった。

だからイブラヒムが海の藻屑と化した理由が航空事故ではなく、米イージス艦が対空ミサイルを発射したからだと知らされた時、激しい憎悪が込み上げた。何の罪もない乗員乗客を乗せた民間旅客機を戦闘機と誤認したという米国の説明は、とてもそうですかと納得できる内容ではなかった。快活で笑顔が似合う女性だった母は、見る影もなくなった。事件のショックから心身に変調をきたし、やがて早逝することになった。イブラヒムが生きてさえいれば、長年連れ添い、幸せな人生を全うしていたはずだった。

「あの米イージス艦の艦長に、どうすれば僕の手で復讐を果たすことができるだろう」。アンサリアンは答えの見えない自問自答を続けては、苦しんだ。でも思春期を過ぎたころ、少しずつ見方を改めた。

米国が絶対に許されない過ちを犯したのは確かだ。ただ、もしも米イランが当時あれほどの緊張状態になかったならば、そもそも事件は起きなかったのではないか。悩み抜いた末、自分なりの結論を出した。「対立に歯止めが掛からなくなった時、最後に待ち受けているのは悲劇なんだ。もう二度と同じようなことを繰り返してはいけない」

大人になったアンサリアンは、写真家の道を歩みだした。本業の撮影の仕事を続ける傍ら、イラン航空機撃墜事件の記録を残す活動をライフワークにした。毎年7月3日、追悼式典には必ず足を運んだ。地元メディアなどから依頼があれば、撮りためた写真のデータを提供した。事件当時の記憶を想起させる現場に立つのは、米国への敵意を煽りたいからではない。記憶の風化を食い止め、教訓を後世に伝えたいとの一念だった。

歴史は繰り返された

私が出会った時、アンサリアンは既に不吉な兆候を肌で感じ取っていた。2017年当時、現場海域付近では革命防衛隊の船舶が米軍艦に異常接近し、警告射撃を受けるケースが相次いでいたからだ。世界のシーレーン（海上交通路）の要衝となってきたペルシャ湾やホルムズ海峡でどちらが主導権を握るかを巡り、威嚇やけん制を交わし合っていたわけだが、ちょっとした弾みで偶発的な軍事衝突にもつながりかねなかった。

イラン航空機撃墜事件の直前にもどこか似た危うさが漂う中、アンサリアンが関心を寄せていたのが被爆地ヒロシマだった。日本もまた、太平洋戦争では米国と戦火を交えている。毎年8月6日の平和記念式典が、原爆を投下した米国に対する責任追及ではなく、新たな核兵器被害を食い止めようとすることに主眼が置かれている現状を知ると、彼は深く頷いた。

「お互いに憎しみをぶつけ合う状況に終止符を打てるよう、私も努めたい」。いつか米国を含めた世界各国から芸術家を招いた上で、イラン航空機撃墜事件をテーマに写真展を開催するのが夢だと語った。過去の歴史をしっかりと見つめ直すことが、平和な未来につながっていくとの思いを強めていたからだった。わずか約2年半後に革命防衛隊がウクライナ国際航空の民間旅客機撃墜を引き起こすとは、想像だにしていなかったに違いない。

偶発的な惨劇は、国家の対立が深刻化した時にこそ起こりうる。イラン航空機撃墜事件で浮かび上がったのは、争いが絶えない世界で忘れてはならない真理のはずだった。だが時代は巡り、歴史は繰り返された。憎しみを乗り越え、手探りを続けてきたアンサリアンの願いが届かなかったことが、悔やまれてならない。

中東最大のユダヤ人コミュニティー

クーデターやイラン革命、米大使館人質事件、イラン航空機撃墜事件……。半世紀以上にわたり数々の史実が澱(おり)のように溜まってきた米イラン関係を中心に、イランの歴史を辿ってきた。今度は中東の地域的な確執にも目を向け、さらに掘り下げてみたい。まずは、イランとは不倶戴天の存在とも言えるユダヤ人国家イスラエルだ。

イランはイスラエルの国家の生存権を認めていない。国際社会との協調を掲げた穏健派ロウハニでさえも、公の場で中東の「がん腫瘍」と表現したことがあるほどだ。過激な発言で物議を醸した保守強硬派アハマディネジャドに至っては、第2次大戦中のナチス・ドイツによるホロコースト（ユダヤ人大量虐殺）の歴史的事実を否定した上で、イスラエルの消滅を予言してみせた。パレスチナ自治区ガザを実効支配し、対イスラエル武装闘争を掲げるイスラム組織ハマスには、国家的に軍事訓練や活動資金を提供してきたと指摘されている。スポーツ分野では国際大会のたびに、イランの選手がイスラエル選手との対戦を控えている場合は棄権するよう、陰に陽に圧力がかかる。イスラエルもイランを安全保障上の最大の脅威と位置付け、国際社会における対イラン最強硬派となってきた。

だからこそ、中東最大とされる在外ユダヤ人コミュニティー（共同体）がイランに存在していると知った時、私は軽い衝撃を覚えた。イラン国内には実に約1万5000人ものユダヤ人が暮らしているという。

一体、どんな生活を送っているのだろう。2018年7月、イラン国内で最古級と言われている中部イスファハンのユダヤ人コミュニティーを訪ねた。かつて「世界の半分」と称され、世界遺産の広場やモスクが目に鮮やかな市街地の一角に、シナゴーグ（ユダヤ教会堂）はひっそりと佇んでいた。

まもなく夕刻の礼拝の時間だ。仕事や学業を終えたユダヤ人が、シナゴーグに向かって

中部の都市イスファハンにあるシナゴーグ（ユダヤ教会堂）内部

足早に歩いてくる。一瞥したところ、外見はイラン人とあまり区別が付かない。それも当たり前なのかもしれない。ユダヤ人の定義とは母親がユダヤ人である人、またはユダヤ教を信じる人だ。肌の色が白い人もいれば、黒い人もいる。

彼らはシナゴーグの重い鉄扉をくぐって初めて、敬虔なユダヤ教徒が使うキッパという丸帽子をかぶった。敷地内は高い外壁で厳重に囲まれている。目立たない場所に複数の監視カメラも設置されていた。通りを挟んだ向かいには、イランではどこの街でもお馴染みのモスク。イスラム教徒に祈りの時刻を知らせる大音量のアザーンが、街頭の隅々まで響き渡る。ペルシャ人を中心とした厳格なイスラム教シーア派国家で、ユダヤ人が究極のマイノリティーであることは疑いない。

なぜユダヤ人たちはここにやって来たのか。彼らの祖先は、紀元前10世紀ごろに地中海岸パレスチナに建国された古代イスラエル・ユダ王国の人々だった。紀元前6世紀、王国がカルデア人の新バビロニア王国に征服されると、反乱を起こせないよう、その首都バビロンに大勢のユダヤ人が強制移住させられた。「バビロン捕囚」と呼ばれる故事だ。

半世紀にわたって捕らわれの身となっていたユダヤ人を解放したのが、イランの地に成立し、バビロンを征服したアケメネス朝ペルシャのキュロス2世だった。解放されたユダヤ人の一部が、信仰の自由が認められていたアケメネス朝領内に移住し、2500年以上の時を経て今に至るようだ。

苦難の運命が影を落とすユダヤ史において、キュロス2世が示した厚意は例外的とも言える。バビロンからパレスチナに帰郷したユダヤ人は、その後ローマ帝国に支配され、故郷を追われて世界各地に離散した。20世紀になっても、ナチス・ドイツやソ連による迫害を経験した。ユダヤ人の民族国家再建を図る「シオニズム運動」は、1948年のイスラエル建国まで成就しなかった。

一部のユダヤ人が定住していた現在のイランは、7世紀のアラブ軍侵攻を経てイスラム圏となり、1979年になると革命で王政が倒れた。新たに誕生したイスラム革命体制が反イスラエルの急先鋒になるとは、移住当時は知るよしもなかっただろう。

イランがイスラエルを全否定するのは、同じイスラム教徒であるアラブ人が大勢暮らしていたパレスチナの「違法な占領者」と定義付けているからだ。そもそもの発端は、英国が第1次大戦中にユダヤ人、敵国オスマン帝国（現トルコ）内に住むアラブ人の協力を得るため、それぞれにパレスチナでの独立国建設を約束した「二枚舌外交」だった。イスラエル建国で70万人超のアラブ人が居住地を追われ、パレスチナ難民として周辺国などへの移住を強いられた。アラブ諸国はイスラエルから領土を奪還するため、1973年まで4度にわたる中東戦争を戦ったが、イスラエルは逆に領土や占領地を広げた。

ユダヤ人国家としてのイスラエルは拒絶するイランだが、実は国内のユダヤ教徒については憲法で信仰の権利を保障している。イラン革命を導いたイスラム聖職者ホメイニは、ユダヤ教をキリスト教やゾロアスター教とともに公認の宗教とした上で「少数派の信仰を妨げることはいかなる者にもできない」とのファトワ（宗教見解）も発出した。

イスファハンのコミュニティーには約2000人のユダヤ人が帰属していた。イラン国内では首都テヘラン、南部シラーズに次ぎ、3番目の規模だった。2階まで吹き抜けのシナゴーグ堂内は、質素ではあるが整理が行き届いていた。装飾で目を引くのは、正三角形を上下逆向きに連ねた六芒星。ユダヤ人の象徴であるダビデの星だ。原色のステンドグラス窓からの採光が、ペルシャじゅうたん敷きの床を照らし出している。壁掛けの額縁に綴られた文章はイランの公用語ペルシャ語ではなく、イスラエルで公用語とされるヘブライ語だった。

夕刻の礼拝の儀式が始まると、堂内の空気は途端に引き締まった。黒や白のキッパを頭に載せたユダヤ教徒約20人が、奥の祭壇に一様に体を向けている。時折こうべを垂れ、厳粛な面持ちで旧約聖書を朗読する。モスクの金曜礼拝とは趣を異にした、ヘブライ語の独特のリズムがその場に流れる。

時計の針はいつの間にか夜の8時を回っていた。目の前には、長年にわたり自らの信仰を固く守り抜いてきた「異教徒」のユダヤ人たちがいた。イスラムの規律が徹底されてきたイランはともすれば、他の宗教を真っ向から否定するのではないかとの固定観念を持たれがちだ。実際には一定の多様性と柔軟性をはらんだ国であることは確かだった。

ユダヤ人に対する公権力の弾圧

「過去の差別や弾圧で、私の家族はばらばらになった」。イランのイスラム革命体制下、究極のマイノリティーとしてひっそりと暮らすユダヤ人。彼らが胸に秘めてきた悲哀に触れたのは、イスファハンのコミュニティー取材も中盤に差し掛かったころだった。

ガラス張りの小さな画廊を、私は訪ねていた。コミュニティーで日常生活の中心となってきたシナゴーグからは徒歩圏内にあった。整然と並んだキャンバスに、陰影豊かなイスラム建築や人物の肖像が描かれている。外の路上を夏の西日が照らし出していた。

画廊オーナーのソレイマン・サッソン（73）は、イスファハンに根付いたユダヤ人一族の元に生まれた。元々は建築士で、名門テヘラン大大学院を卒業後、地元の著名公園の設計を手掛けた経歴も持っていた。イラン革命が起きた時は30代半ば。弾圧が始まったのは、それからまもなくのことだった。

一族が代々受け継いできた不動産が、関係当局によって強制的に差し押さえられた。理由は「ユダヤ人の所有物」だったから。地元随一の高級ホテルで副支配人だった兄は、何の前触れもなく解雇された。失意に堪えかね、最終的に永眠の地となった米国に亡命する兄との別れ際、泣きながら抱き合った。似たような運命を辿った他の親族も、一人また一人と国外に亡命していった。特に実姉はパスポート取得を許可されず、危険な密航ルートを経由してイスラエルに逃れるほかなかった。

ユダヤ人に対する差別は、革命前のパーレビ王政期も存在してはいた。ソレイマンは少年時代、いつも学校に集団登校していたことを覚えている。イスラム教徒の子どもたちによる投石から身を守るための措置だった。マジョリティーの心の奥底にくすぶる差別意識は、折に触れて姿形を現してきた。革命を経ると、それが公権力の弾圧へと変質した。

ソレイマン自身、神経をすり減らす日々は続いた。妻は精神的に不安定になり、医師からは心の療養も兼ねて外国旅行に出掛けてはどうかと勧められた。アドバイスに従ってパスポートを申請したところ、却下された。移動の自由も許されないのかと、悔しさが込み上げた。革命裁判所に「私はイラン人です。この国のためにたくさんの奉仕をしてきました」と直談判した。

裁判官のイスラム聖職者は心を動かされた様子で、パスポートの取得手続きが進むよう取り計らってくれた。晴れて妻や幼かった子ども2人を連れ、姉の亡命先イスラエルに短期で家族旅行した。ところがイランに帰国するやいなや、今度はイスラエルに渡航した事実を理由に、妻と一緒に刑務所で一晩拘束された。

「われわれの協力者になれ」。イスファハンのユダヤ人コミュニティーで当時代表を務めていたソレイマンは、同胞のユダヤ人たちの動向を密告するよう何度も迫られた。仲間を売ることなんて、できるわけがなかった。頑なに拒否を続けていると、数年後に再び拘束され、独房に収監された。コミュニティー代表のポストは辞任を余儀なくされた。

壮絶な過去を打ち明けられるにつれ、私はイスファハンのユダヤ人たちを取材する中で募っていたわだかまりが氷解する思いだった。

コミュニティーで長老格だったユダヤ教聖職者は、インタビューで「私たちはイスラム教徒と同じ権利が与えられている」と熱弁したが、ユダヤ人であることへのマイナス面に話題が及ぶと途端に口を閉ざした。コミュニティーで新たに代表を務めていた男性は、ユダヤ人を標的にした憎悪犯罪（ヘイトクライム）が散発的に発生する欧州を引き合いに出し、いかにイラン国内が恵まれた環境なのかを説明した。しかし別れ際になって、それまでの私との会話内容をスマートフォンでこっそり録音していたことに気付かされた。関係当局に生殺与奪を握られてきた彼らは、自身の微妙な立場をわきまえていたのだ。

ソレイマンとの会話ではっとさせられたのは、彼が紆余曲折を経てなお、イスファハンを終の棲家と思い定めていたことだった。兄や姉のように亡命はできたはずだし、そうしていれば弾圧を受けることもなかったのにだ。彼はイスラエル旅行の間、どういうわけか心の底から安らぐ瞬間はなかったと振り返った。やがてこう考えるようになったという。

「私にはたくさんのイスラム教徒の友人がいるし、生まれ育った街の雰囲気が大好きだ。故郷に勝る場所はやはり世界のどこにもない」

それに、ユダヤ人の生きづらさは時代とともに確実に和らいできた。関係当局は革命黎明期ほど露骨な弾圧を加えることはなくなった。コミュニティー内にはユダヤ教の厳格な食物戒律「コシェル」に対応したレストランが営業している。シャバット（ユダヤ教の安息日）には、民間会社に勤めるサラリーマンでも有休取得の権利が公認されている。ユダヤ教徒は国会で１議席の少数派枠も割り当てられている。

軍事行動を加速させるイスラエル

ただ、ソレイマンには心配の種があった。中東情勢に影を落としていたイランとイスラエルの敵対関係だ。当時、トランプ政権が進めていた対イラン強硬政策は、親イスラエル政策とコインの表と裏の関係にあった。米国は歴代政権の方針を抜本的に転換し、2017年12月にユダヤ教、キリスト教、イスラム教の聖地が集中するエルサレムをイスラエルの首都だと認定した。パレスチナ自治政府は東エルサレムを将来の独立国家の首都と位置付けており、エルサレムの帰属は中東和平交渉の主要争点の一つだった。在イスラエル大使館も各国が商都テルアビブに置いてきた中、米国が2018年5月にエルサレムに移転した。米国の中東戦略シフトに弾みを付けられたかのように、シリアのイラン駐留部隊とイスラエル軍はロケット弾発射や空爆で応酬を繰り広げた。

トランプ時代のイラン敵視政策を見直したバイデン政権発足後、緊張は和らぐどころかむしろ高まった。イスラエルがイラン包囲網の緩みに危機感を募らせ、軍事行動を加速させたからだ。シリア領内ではイラン革命防衛隊の関連施設や親イラン民兵組織の拠点に対し、空爆をますます活発化させた。紅海や地中海では、イスラエルとイランが関与したとみられる相手船舶への攻撃が続発した。イランで核科学者暗殺や核施設攻撃が続いた背後に、イスラエルの極秘作戦の疑いが指摘されているのは既に触れた通りだ。

ニュースに接するたびに心を痛めていたソレイマンは、差別と弾圧の果てに見えてきたという人生哲学を明かしてくれた。国家の対立がエスカレートした時、最も代償を支払うことになるのは非力な国民だ。これは、宿敵同士とされてきたイランとイスラエルにこそ当てはまるのではないかと語った。

「大昔、ペルシャ帝国のキュロス2世はユダヤ人に温情を示した。ユダヤ人もまた、イランの人々のことが大好きだった。今こそ祖先の友情を思い出してほしい」。イランに生きるユダヤ人ソレイマンは、たとえどんな困難が付きまとったとしても、両当事者が互いに歩み寄り、かつての絆をたぐり寄せようとする日を待ち望んでいた。

敵意を向け合うスンニ派とシーア派

乾いた夏空に、色鮮やかなイスラム建築のアラベスク模様が映えていた。頭にターバンを巻いた聖職者。ラフな格好の家族連れ。各地から遠路はるばるやってきた巡礼者のいでたちはさまざまだ。無数の人影が、巨大なエントランスの向こうにゆっくりと吸い込まれていく。

２０１７年９月に私が訪れたイラク中部カルバラは、千年以上にわたり繰り広げられてきたイスラム教の宗派対立を象徴する地だった。少数派シーア派が神聖視してきた第３代イマーム（指導者）のフセインが、多数派スンニ派に惨殺された悲劇の舞台。来訪者が絶えない目のイスラム建築は、フセインが眠る聖廟だった。

「急ごう。長居は無用だ」。同行する民間警備業者が、周囲に目を光らせながらせかしてくる。日本外務省の4段階ある危険情報で、カルバラは最もレベルの高い「退避勧告」となっていた。イラク国内では当時、スンニ派の過激派組織ISが守勢ながらも影響力を保っていた。異端視するシーア派を標的に爆弾テロや銃撃を繰り返し、イラン人巡礼者も大勢犠牲になっていた。流動的な治安が、宗派対立が今なお争いの火種になっている現状を如実に物語っていた。

一神教で、世界で2番目に信者数が多いイスラム教において、スンニ派とシーア派は二大宗派だ。同じ聖典コーランを寄る辺にし、礼拝や喜捨、巡礼といった義務や、ラマダンの約1カ月間に日の出から日没まで断食を求められるのも変わらない。ヒンズー教のような多神教はむろん、ユダヤ教やキリスト教といった他の一神教と比べても、相違点はずっと小さい。なのに、どうしてここまで敵意を向け合ってきたのか。

事の発端は632年、イスラム教の開祖で、唯一神アラーの言葉を伝える預言者とされたムハンマドが死去したことだった。彼は故郷メッカ（現サウジアラビア西部）を征服し、アラビア半島をほぼ統一したイスラム軍も率いていた。後継者をどう決めていくべきか、信徒の間で争いが起きた。ムハンマドの慣行（スンナ）を守ろうとする多数派はスンニ派と呼ばれ、合議で「カリフ」（後継者）を選出した。カリフは領土を拡大してイスラム教を広めようと、ジハード（聖戦）に乗り出した。東ローマ帝国からシリアやエジプトを奪取し、ササン朝ペルシャを滅ぼして現在のイランの地を支配した。

一方、後継選出の方法に異議を唱えたのが、ムハンマドの娘婿である第４代カリフ、アリーを初代イマームとして仰ぐ少数派だった。彼らはアリーの血を引く者こそが正統な後継者だと位置付けた。シーア派の宗派名が定着したのは、当初「シーア・アリー」（アリーの党派）と呼ばれていたことが由来だ。

両派の対立は、多くの血が流れる抗争へと発展した。アリーは暗殺され、シーア派は弾圧の対象となった。アリーと対立していたウマイヤ家の軍人ムアーウィアがカリフとなってウマイヤ朝王国（６６１～７５０年）を建て、イスラム帝国におけるスンニ派の支配的地位を確立した。カリフの位はウマイヤ朝、アッバース朝などを経て、オスマン帝国が第１次大戦で敗北し解体されるまで続いた。

カルバラで非業の死を遂げたシーア派第３代イマームのフセインは、アリーの次男であり、ムハンマドの孫だった。６８０年、わずかな支持者らとともにウマイヤ朝の大軍に立ち向かった。圧倒的な軍事力の差は如何ともしがたく、包囲されて全滅した。死を覚悟の上で最期まで抵抗を貫いたエピソードは「カルバラの悲劇」と呼ばれ、シーア派の宗教感情を高ぶらせてきた。今でもフセインの殉教日には、信徒が各地で宗教行事「アシュラ」を催し、自分の体を鎖で叩きながら街頭を行進することで非業の死を追体験する。

イスラムは本来、愛と慈悲の宗教

外の炎天下から一転、シーア派の最重要聖地の一つとなってきたフセイン廟内には、ひんやりとした空間が広がっていた。精緻を極めた天井装飾の下、あちらこちらに信徒の姿があった。じゅうたん敷きの床にあぐらをかき、コーランのページをめくっている。直立不動の姿勢で宙を見つめ、祈りの言葉を唱えている。

「スンニ派のフセイン独裁政権時代、ここは今のようには自由に解放されていなかったんだ」。案内役の男性職員が説明した。1991年の湾岸戦争直後に蜂起した地元住民が治安部隊に弾圧され、シーア派信徒がフセイン廟の巡礼に訪れることを禁じられたこともあったという。

すぐ近くで、中年の男性巡礼者が人目もはばからず号泣していた。スンニ派は現在も世界のイスラム教徒全体の約9割を占め、多数派の地位に揺るぎはない。シーア派がいかに抑圧と抵抗の世界観に彩られているかを実感させられる思いがした。経済制裁を堪え、超大国である米国に刃向かってきたイランの体制イデオロギーともぴったり重なる。

脈々と続いてきた宗派対立は、国家の相克や紛争と切っても切れない関係にある。最近だけでも、スンニ派の盟主サウジアラビアが2016年1月、国内で非暴力の反体制活動家として支持を集めていたシーア派指導者ニムル師を処刑したと発表した。シーア派大国イランでは抗議の群衆がサウジアラビア大使館を襲撃し、サウジアラビアがイランと国交を断絶するに至った。イエメンの内戦では、スンニ派のハディ暫定政権支援のために２０１５年にサウジアラビアが軍事介入し、シーア派の武装組織フーシ派の後ろ盾とされるイランとの代理戦争を繰り広げた。シーア派住民を暴力行為の対象としたのは、イラクやシリアのＩＳだけでなく、２０２１年8月にアフガニスタンで実権を握ったスンニ派のイスラム主義組織タリバンも同じだった。

ただ、宗派対立ばかりが過度に強調されてしまうと、信仰自体を争いやテロに結びつける思考が生まれかねない。「イスラム教は本来、愛と慈悲の宗教だ。不正確なイメージがまん延しているが、どうか私たちのことを見誤らないでほしい」。イラクのシーア派信徒からは切々と訴えられた。フセイン廟の巡礼者はカルバラの悲劇を嘆き悲しみながらも、同じ現代世界で暮らすスンニ派信徒への恨みや敵意を言動に表さなかった。人種や出身国も多様で、トーブという白い衣装をまとったアラブ人もいれば、イランから訪れたペルシャ人もいた。

イスラム圏から宗派対立が消えてなくなる未来は考えづらいが、多くの一般信徒はそこから距離を置いて生きている。これもまた、忘れてはならない大切な事実に違いない。ひたむきに祈りを捧げる人々の素顔とともに、彼らの言葉を胸に刻み込んだ。

歌い継がれるプロテストソング

スピーカーから耳慣れないメロディーが流れ始めた瞬間、「おや?」と思った。2017年5月の夜、私はテヘランの競技施設にいた。イラン大統領選の終盤、現職候補として再選を目指していたロウハニの選挙集会が終わり、すし詰め状態だった観衆の姿もまばらになりかけていた。緩んでいた雰囲気が、がらりと変わったのだ。

情感豊かな調べが響く中、動きをぴたりと止めた若い女性の目に、涙が浮かんでいた。遠くの客席では何人もの青年が両手を突き上げ、必死の形相で声を張り上げている。魂の底から振り絞るような歌声が、しばらく耳から離れなかった。

〈学友よ、君は私とともにいる/頭上で支配者が権力を振りかざす/君は私とともに涙し、ため息をつく〉

後日、イラン国内ではよく知られた「ヤレ・ダベスタニ・マン」(私の学友)という歌だと教わった。歌詞は巧みに比喩をちりばめながらも、反権力の行動を促す強いメッセージに満ちている。1979年のイラン革命前は、パーレビ王政の打倒運動を駆り立てたプロテストソング(抗議の歌)だった。それが時を経て、やがて「改革派」と呼ばれる人々が歌い継ぐようになったのだという。

改革派とは、イラン革命で樹立されたイスラム革命体制を認めた上で、その教条主義的な部分を時代に合わせ、リベラルな方向に変えていこうと訴える人々のことだ。彼らの中に、米大使館人質事件の実行犯だったエブテカールやミルダマディが含まれていることは既に触れた。1997〜2005年には改革派ハタミ政権が生まれたこともある。厳しい規制を緩め、もっと自由な社会を実現しよう。いつまでも欧米と反目を続けるよりは、しっかりと向き合って関係改善を模索すべきではないか。こうした声が政治的主張の最たる例となっている。

民主化要求のうねり、「緑の運動」

ここで改めてイラン内政の現状を整理しておきたい。政治勢力は発言力の大きい順に保守強硬派、穏健派、改革派の三つに大別されている。保守強硬派は革命体制の価値観を忠実に守り、現代政治史で本流を歩んできたグループだ。筆頭格は革命防衛隊や司法当局、右寄りのイスラム聖職者で、社会の自由化や欧米への接近を否定する。現大統領ライシも保守強硬派エリートの一人で、かねて最高指導者ハメネイの寵愛を受けてきた。保守強硬派と改革派の中間に位置する穏健派は、伝統的な価値観と柔軟な感覚を併せ持っているが、肌感覚としては改革派に近い。ロウハニはまさにその代表的存在で、米英仏独中ロとのイラン核合意を主導した。

実は「私の学友」は、2009年に街頭で大合唱が響いていた歌だった。大統領選で保守強硬派アハマディネジャドが再選されたが、対抗馬の改革派ムサビ元首相らが開票で不正が行われたと批判した。それに呼応した支持者がムサビ陣営のイメージカラーだった緑色のリボンやスカーフを身に付け、「緑の運動」と呼ばれた大規模デモを連日行った。エジプトのムバラク独裁政権などを崩壊させた中東民主化運動「アラブの春」に先立ち、強権的な地域大国における民主化要求のうねりとして注目された。

緑の運動は数十万人規模にまで膨れあがったが、関係当局が武力弾圧に乗り出したことで、流血の事態へと一変した。大混乱の末に争乱は収束したが、数十人の命が失われた。改革派は折に触れて弾圧の対象となり、シンパと見なされたジャーナリストやウェブサイトが摘発された。ムサビは自宅軟禁下に置かれ、唯一の改革派元大統領ハタミは公の場での発言を封じられた。

あの選挙集会の夜、会場のそこかしこには緑のリボンやムサビの顔写真が躍っていた。改革派の男女はどんな思いで「私の学友」を歌っていたのか。かつて銃口を前に民主化への思いを込めていた経緯を踏まえると、おぼろげながら理解できる気がした。曲が流れたのが集会の最中ではなく、終了後の目立たない時間帯だったことは、彼らがなお日陰者扱いされている現実を浮かび上がらせた。

「今は私が話すべきことはない」。テヘラン市民の大半が米国との対話を支持したとの世論調査結果を発表し、当局の逆鱗に触れて2年半の獄中生活を送ったアッバス・アブディ。緑の運動に加わったことで拘束され、法廷で「大統領選の不正疑惑はでっちあげ」と謝罪する姿が報じられたモハンマドアリ・アブタヒ元副大統領。私が取材したことのある改革派の大物の大半は、政治的なテーマには決まって口をつぐんだ。

発言の一つ一つが注目を浴びるわけではない無名の支持者は、プライバシーが守られるのであればもう少しだけ胸襟を開いてくれた。緑の運動で友人を銃殺された男性医師は、今更目を付けられるようなまねはしない。それでも「この国の国際的孤立や強権政治が終わる日を見届けるのが私の夢だ」と熱弁を振るった。

改革派の要求には、イスラム革命体制の理念と軌を一にしない内容も少なからずある。国内社会の風紀維持を担う司法当局は、改革派の存在を問題視する保守強硬派によって牛耳られている。

改革派の支えがなければ、ロウハニは2期8年の任期を全うできなかったとも言われている。強権を握る関係当局の視線は厳しいが、これから変化は平和な手段でもたらされていくのだろうか。決起と弾圧の軌跡を経てなお、彼らが追い求める「自由」の行方が気になっている。

第3章
革命から40年、イランの素顔

テヘラン最大の市場、グランド・バザール

高校まで男女別学

中東の世俗的な親米王政国家を、政教一致の反米イスラム国家に塗り替えた1979年のイラン革命は、世界に激震を走らせた。西洋的な価値観を痛烈に指弾する宗教指導者、漆黒のベールで全身を覆った女性。従来からイランという国名を耳にすれば、そんな群像が想起されることが多かったのではないか。

1980年代はイラン・イラク戦争が泥沼化した。2000年代以降はブッシュ米政権に「悪の枢軸」と名指しされ、核問題の表面化で経済制裁を科された。一連の出来事はいずれも、イランの「強面」のイメージを増幅させた。

しかしながら、革命から40年超が経過した現代イランの実像は、そうしたステレオタイプな見方とは随分異なっている。最近の情勢緊迫のせいもあり、世の中にぼんやりとイラン脅威論が漂っている中、正しい理解に向けた努力は意味を増している。本章では、私が駐在生活の中でじかに見たイランの素顔を紹介したい。

車窓の向こうには、褐色の土漠がどこまでも広がっていた。緑、白、赤の3色の下地に国章が描かれたイラン国旗が、真夏の乾いた熱風に揺れている。2016年7月、東京・羽田空港から日本を出国した私は、タイ・バンコクとUAEドバイの2都市を経由し、イランの土を初めて踏んだ。

空の玄関ロイマーム・ホメイニ国際空港からは、年代物の中古車で約1時間。標高1000〜1800メートルの首都テヘランは、切り立った4000メートル級のエルブルズ山脈の麓に位置する高原の街だった。2020年推定では、広大な都市圏に913万5000人が居住。エジプト・カイロやトルコ・イスタンブールとも肩を並べる中東有数の大都会だ。

都心部の街角には、ペルシャ語の大声やクラクションの音が絶えなかった。何事も規則正しい日本と比べると、混沌としたエネルギーが渦巻いている。経済制裁の名残だろうか、幹線道路沿いにひしめくビル群は建て替えが進まず、随分老朽化しているように見えた。

路上看板や陸橋下に、ターバン姿のイスラム聖職者やイラン・イラク戦争の戦死者の肖像が掲げられていた。マンションや商店の合間には、ドームやミナレットを擁した町のモスクがごく自然に収まっていた。当然と言えば当然だが、酒類を提供するバーや居酒屋は一切見当たらない。

女性はスカーフやコートで一様に顔以外の全身を隠していた。気温は実に40度前後。からっとした暑さのため、とにかく蒸し暑い日本の真夏のような不快指数はないが、薄着もできないまま炎天下を凌がなければならない女性の気苦労はいかばかりかと案じた。

シャリア（イスラム法）に基づき、秋霜烈日のルールが徹底されるイランは、イスラム圏の中でも一、二を争う手厳しさの国とされてきた。公共の場では男女分離が固く守られ、路線バスでも性別によって乗車スペースを区切られていた。未婚の異性同士が交際するのはタブー視され、未成年でも小学校から高校までは男女別学だという。

「聖職者支配の強固なイスラム体制」「自由が大幅に制限された社会」。日本の新聞やテレビでイランのニュースに触れてきた中で、繰り返し目にしたフレーズだ。確かに眼前の風景は事前情報を裏切らないものだった。「はるか彼方までやって来た」。今後の現地生活にあれこれと想像を巡らせ、率直に思った。

面従腹背のアンダーグラウンド

その晩、期せずしてお誘いが回ってきた。地元のリベラルなイラン人一家が気の置けない親戚や友人たちを集めた上で、ホームパーティーを催すのだという。若干気後れしながら、閑静な住宅街に佇む邸宅を訪ねた。

会場は広いフロアにペルシャじゅうたんが敷かれ、壁沿いにソファやローテーブルが並んでいるゲストルームだった。予定時刻をしばらく過ぎたあたりから、招待客が一組また一組と入ってきた。

まず、女性陣がカラフルでスタイリッシュなヘジャブやコートで身を飾り、思い思いにファッションを楽しんでいるのが目を引いた。高身長と彫りの深い顔立ちも相まって、日本人の私から見てもモデルのようにおしゃれな人もいる。しかも次の瞬間、彼女たちはそれらを無造作に脱ぎ、腕や胸元を大胆にさらしたドレス姿になった。

ちょっと待てよ。人前で女性が肌を露出するのは、現地の法律で禁止されているはずではなかったか。そんな考えが頭の中をぐるぐると巡っている私のことに、すっかりリラックスした様子で世間話に花を咲かせる彼女らが気付くはずもない。

ホームパーティーが幕を開けた。この晩のために特別に呼ばれたのだろう、ペルシャの伝統楽器を手にした音楽バンドが、情熱的なライブパフォーマンスで場のムードを演出した。頃合いを見計らい、主催者の婦人が部屋の中心に躍り出た。そして、満面の笑みとともに優美な舞いを演じた。「待っていました」と言わんばかりに招待客は手拍子やカメラ撮影で盛り立て、やがて我も我もと踊り始めた。軽くステップを踏んでリズムを刻みながら、宙にかざした腕をふわりふわりと揺らす。テイストは違えど、どこか日本の盆踊りに似ている。

たしか現地では、男女が一緒にダンスを踊ることも禁じられているはずだ。あの規律が徹底された街頭の光景は、一体どこに行ったのか。あっけにとられていると、「今度はあなたの番」と踊りの輪の中にいざなわれた。

ここは本当にあのテヘランなのか。不格好に手足を動かしながら、当てのない自問を重ねる私の内心を見抜いたのだろう。ムードメーカーぶりを遺憾なく発揮していた主催者の婦人が、いたずらっぽく笑いかけてきた。「この国にやって来たばかりなら、驚いたでしょう。家の玄関をまたげば、別世界。この空間もまた、イランなのよ」

入国初日のホームパーティーでは、イランは「本音」と「建前」が存在する二重社会なのだということを教えられた。公の場では四角四面なルールを順守しているが、それだけでは時に人生は息苦しい。人目に触れないプライベートな時間、こっそりと羽目を外すのが、多くの国民の間で定番となっていた。まさに面従腹背のアンダーグラウンドな世界だ。宗教国家イランの陽気な夜は、刻々と更けていった。

ケバブだけじゃない、多彩な食文化

おいしそうな匂いが鼻腔（びくう）をくすぐると、食欲は一気に駆り立てられた。黄金色に輝く小麦入りスープ、香草たっぷりの羊肉シチュー、緑黄色野菜と鶏肉のサラダ……。腕によりをかけたご馳走の数々に、思わず視線が釘付けになる。カラフルな献立で彩られたテーブルは、ちょっとしたモダンアートのようだ。

週末の晩に招かれたテヘラン市内のアパートの一室には、数カ月前から懇意にしてきた友人のイラン人男性が家族4人で暮らしていた。日本と同じように玄関で靴を脱ぎ、勧められるままに腰を落ち着けると、すかさずチャイ（紅茶）が出てくる。彼の軽妙なトークに酔いしれ、人懐っこい子どもたちと遊んでいるうちに、いつの間にか奥さんがほかほか

の手料理を仕上げている。社交的なイラン人はゲストをもてなすのが大好きで、ホスピタリティーのつぼを心得ている。

イランの食文化は、多彩の一言に尽きる。この単純な事実に気付くのに、実はしばらく時間がかかった。現地の家庭にお邪魔し、食卓を覗かせてもらうまで、目にするイラン料理と言えばほとんどが「ケバブ」だったからだ。街頭で看板を掲げるレストランは、イタリアンや中華といった外国料理の店を除くと、ケバブ一辺倒と言っても決して過言ではなかった。

ケバブはケバブでも、イランの定番スタイルは豪快に火であぶった串刺し肉を、炊き上がった細長のインディカ米の上に盛り付けたチェロケバブだ。チェロが「白いご飯」を意味する通り、同じ中東でも肉をパンで挟むアラブやトルコのケバブとは趣が異なる。

鶏肉はジュジェ、ラム肉や牛肉をミンチ状にすればクビデといった具合に、肉の種類や処理方法によっていくつかタイプが存在する。中でも、骨付きラム肉をグリルしたシシュリクは童話のワンシーンを彷彿とさせるような外見とジューシーな味わいが人気で、高級料理ではあるが一度はかぶりつくだけの価値がある。

ただ、いくらケバブが美味でも、さすがに毎日は食べられない。イスラム体制下で調達不可能な豚肉も恋しくなる。現地社会に入り込むだけの十分なゆとりがない日本人の旅行者や短期駐在者からは、選択の余地が乏しい外食事情に関する愚痴をよく聞かされた。

何を隠そう、イランにおける「おふくろの味」のエッセンスは、シンプルに肉を焼いたケバブとは一線を画している。バラエティーに富んだ煮込み料理が存在しており、どれも具だくさんで栄養満点だ。その起源は2000年以上前まで遡るとも言われ、古代ペルシャ帝国がインダス川流域からエーゲ海北岸まで含めた広大な領土を治めていた時代、各地からさまざまな食文化が流入し、混ざり合いながら発展したらしい。

ナスとトマトを合わせてシチューにしたホレシュテバデムジャン。トマトやタマネギ入りのスープに、ちぎったナンを浸したアブグーシュト。直径10センチ超の巨大肉団子にトマトベースのスープがかかったコフテタブリーズ。食材もレシピもそれぞれに異なるが、全体的に辛味はなく、酸味をうまく生かした料理が多いのが特徴だ。

とりわけ、週に何度も家庭の食卓を飾るゴルメサブジは、イランのソウルフードと言えよう。パセリやコリアンダー、リークといったハーブを何種類も掛け合わせ、ラム肉や豆、ホウレンソウ、タマネギと一緒にコトコトと煮込んだシチューだ。強粘性、緑一色のクセのある外見に惑わされてはならない。独特の濃厚なうま味とドライレモンの酸味を一度知ってしまうと、すぐにやみつきになる。ぱらぱらのインディカ米との相性がまた抜群で、スプーンで一緒にかきこむと完食するまで止まらない。写真を目にするだけで条件反射的によだれが出るほど、虜になった。

長年の歴史に裏打ちされた食の知恵は主菜だけにとどまらず、付け合わせの一品や食習慣でも感じさせられることがあった。例えば、ケバブや煮込み料理と一緒に供される生タマネギの塊。日本産タマネギと比べると格段に苦いのだが、肉の脂分に若干しつこさを感じた時にひとかじりすると、全身に突き抜ける苦味とともに味覚がリセットされる。焦げ目の付いた焼きトマトも最初はなじみが薄かったが、身をほぐしてそばのご飯に混ぜてみると、甘味と酸味で食欲が増進された。「ヨーグルトは朝でなく、夜にこそ食べてほしい。きっとぐっすり眠れるよ」と勧められたイラン人御用達の商品は、神経のスイッチを切り替える鎮静作用が期待できるのか、本当にその通りだった。

考えてみれば、手間ひまを惜しまない煮込み主体のラインナップは、いかにもイランらしい。変化の著しい現代社会にあっても、家族を何よりも大切にしてきた庶民感覚が根強く息づいているからだ。平日は仕事を定時できっかり切り上げ、寄り道もせずにまっすぐ帰宅する。週末になれば弁当を手にピクニックに出掛け、何をするわけでもなくゆったりとくつろぐ。便利なモノやサービスがあふれ、何かと時間に追い立てられがちな日本とはある意味対照的だが、心豊かなスローライフの中心にあるのが愛情たっぷりの手料理なのだ。

一つ一つのメニューに舌鼓を打つうち、おのずと口は滑らかになり、軽やかにおしゃべりがはじける。胃袋が優しく満たされ、体の奥底からじんわりと湧き上がってくる幸福感をみんなで共有する。イランはケバブばかりじゃないかと、安易に断ずるなかれ。食卓を囲むとびきりの笑顔が、豊かで滋味深い食文化を物語っている。

歴史とロマンのイラン探訪

夕焼け空を背に、壮大な石柱や石門が刻々と色合いを変える。王への朝貢が描かれた精巧なレリーフが、ゆっくりと陰影を深めていく。日没前のかすかな光が残る時間帯を、撮影用語でマジックアワーと言うらしい。イラン南部の古代遺跡ペルセポリスで移ろう光景は、まさに見る者を素敵な魔法にかけるかのようだ。

ペルセポリスはイランを代表する世界遺産で、約2500年前に古代オリエント世界に君臨したアケメネス朝ペルシャの栄華を今に伝える。宗教的な首都をこの地に置いた巨大帝国は、時代を先取った中央集権体制を完成させた。「王の道」と呼ばれる国道には馬や食料を備えた宿駅を置き、各地に「王の目」「王の耳」という監察官も配置した。高校の世界史で習った知識が、おぼろげながら脳裏に蘇る。

私がペルセポリスを訪問した2016年11月、敷地内には国内旅行客のイラン人に混じり、外国人バックパッカーの姿が目立っていた。当時は第2期オバマ政権の末期で、イラン核合意に伴い米制裁が解除されていた時期。「念願の渡航だよ。政治の緊張のせいで、ずっとためらっていたんだ」。立ち話を交わした一人旅のベルギー人レスリー（45）は、少年のように目を輝かせながら散策を楽しんでいた。

イラン南部の古代遺跡ペルセポリス

昨今のイランのニュースはと言えば、核問題や経済制裁、軍事的緊張といった物騒なトピックにどうしても偏りがち。この国と「観光」というワードが、すぐには結び付かない日本人も多いのではないだろうか。実は現地には、見ごたえのある世界遺産や街並みが数多く存在している。悠久の歴史やロマンにどっぷりと浸れるのが、イラン探訪なのだ。

主な観光名所を列挙してみるだけでも、いかにバリエーション豊かな体験ができるかが理解できる。古都シラーズやカシャンでは、バラと噴水に彩られたペルシャ庭園のほか、情熱的な愛を詠んだ国民的詩人ハーフェズの廟が旅情を誘う。「世界の半分」の異名を取ったイスファハンでは、目の覚めるような青のミナレットが印象的なイマーム・モスクや、橋脚部に連なるアーチが幻想的に夜間ライトアップされるスィオセ橋を巡れる。

火を崇拝するゾロアスター教徒が多い砂漠都市ヤズドまで足を伸ばせば、1500年以上燃え続ける聖火を擁する寺院、過去に鳥葬場だった沈黙の塔が点在し、独自の世界観に迷い込める。

大自然と戯れたければ、ペルシャ湾キシュ島のビーチリゾート、テヘラン北端トチャール山のスキー場も一考の余地があるだろう。シーア派聖地のコムやマシャドは宗教ツーリズムの拠点で、イスラム圏各地からの巡礼者のエネルギーに満ち満ちている。

高かったインバウンド需要

トランプ時代の情勢混迷で、あのめくるめくイラン観光へと繰り出す旅人もめっきり減ってしまったに違いない。そう思い込んでいた私は、国連世界観光機関が集計したデータをひもとき、思わず驚嘆の声を上げた。

外国からイランを訪問する観光客数は、第２期オバマ政権時代には年間５００万人前後で推移していたが、強力な米制裁が再発動された２０１８年に約７３０万人、２０１９年には約９１０万人と躍進していた。約２１０万人の２００９年からだと、10年間で実に４倍超もの増加率を記録し、世界ランキングも63位から42位に浮上しているではないか。

詳しく調べてみたところ、複数のシンクタンクや外国メディアは、観光産業を成長戦略の柱の一つに位置付けてきたイラン政府の積極投資に加え、米制裁再発動に伴う現地通貨の暴落を要因に挙げていた。なるほど、イラン・リアルの値打ちが５分の１以下になった事実を裏返せば、現地では米ドルや日本円が５倍超の相対的価値を持つことになる。私たち外国人にとっては、格安旅行のまたとないチャンスということだ。

ただ、そうした内的・外的要因があったにしても、そもそもの観光資源にオンリーワンの魅力がなければ、これほどのペースアップは望めなかったに違いない。２０２０年以降の新型コロナ禍では自由な移動もままならなくなったが、政治が多少緊張しているくらいではびくともしないほど、イランのインバウンド需要は高かったのだ。

そしてもう一つ、旅行者をぐっと引きつけるのにはわけがあると、私が睨んでいるものがある。現地の人々との心温まる触れ合いだ。外国人との接点に乏しい市井のイラン人は、国際交流に興味津々だ。テヘランのグランド・バザールをぶらぶらしていると、たどたどしい英語や日本語、はたまた中国語で挨拶され、何度も記念撮影をせがまれる。シラーズのペルシャじゅうたん店前では日本人と分かるや、アイドルでもないのに「キャー」と歓声を上げる少女グループすらいた。一昔前の日本の地方都市にもどこか似た純朴さが、うまい具合に旅のスパイスとなっている気がしてならない。

異国情緒に満ちた雑踏の喧噪をさまよい、時にイスラム圏や経済制裁下ならではのルールに戸惑い、観光スポットの数々を心ゆくまで堪能する。予期せぬトラブルも、日常から逃れてきた旅人にとってはちょっとしたアトラクションだ。価値観を異にする外国人だからこそ出会える感動が、イランという国にはあふれている。

世界で唯一無二のイスラム共和制

イランのニュースに触れていて、複雑怪奇な内政構造に目が点になった経験を持つ人は少なからずいるのではないだろうか。大統領がいたかと思えば、最高指導者なる存在もいる。両者の主張が食い違っていることも、往々にしてある。どちらが偉くて、国の意思決定はいかにしてなされていくのか。とてもじゃないが、日本の常識では測れない。

かく言う私も、イランに赴任してしばらくは政治リテラシーが乏しく、リーダーたちの発言内容をどう読み解けばいいのか、考え込んでは途方に暮れた一人だった。１９７９年のイラン革命で成立した「イスラム共和制」は、世界広しといえども唯一無二の統治体制だ。そのメカニズムは一体どうなっているのか、ここで改めて迫ってみたい。

イスラム共和制とは、平たく言えばイスラム体制と共和制が重層的に併存する政体だ。まず第一に、革命指導者ホメイニが唱えた原理「ベラヤテ・ファギ」（イスラム聖職者による統治）を柱に据える。その中核として国家のナンバーワンに君臨するのが、高位聖職者である最高指導者だ。罷免の制度もあるにはあるが、事実上の終身制で、現在に至るまでに初代ホメイニ（在任１９７９〜89年）と、その死去を受けて選出された２代目ハメネイ（在任１９８９年〜）の２人しか存在していない。

最高指導者はあらゆる意味で絶対だ。国軍や革命防衛隊では最高司令官を務める。大統領の認証・罷免の権限や、国家の秩序維持を率いる司法府代表の任命権も握っている。国内唯一のテレビ局・ラジオ局である国営イラン放送（ＩＲＩＢ）は直轄下に置く。

メンバーの半数を任命する「護憲評議会」は大統領や国会議員、地方議員を決める各種選挙において、立候補者に資格があるかないか厳格な審査を行う中枢組織だ。最高指導者はシーア派の宗教的権威であることはもとより、行政、立法、司法の三権に強大な影響力を及ぼし、その気になれば軍やメディアも思いのままというわけだ。

国民の直接選挙で選ばれる大統領は、国家の最終決定権を持ってはいない。行政府の長として閣僚を任命し、政権運営や首脳外交にも当たるが、重要事項は最高指導者のゴーサインなしには進めることができない。任期は4年で、連続3選は禁じられている。世界の国々では、大統領は政治の筆頭ポストであることが一般的だが、イランでは最高指導者に次ぐナンバー2に過ぎない。

とはいえ、イランの現代政治史をひもとくと、国の舵取りで大統領がいかにリーダーシップを発揮してきたかが見えてくる。

第5代大統領の改革派ハタミ（1997〜2005年）は「文明間の対話」を掲げた。宿敵となってきた米国との関係改善を図って注目され、社会の規制緩和を推進した。国内の保守強硬派の抵抗に加え、当時のブッシュ米政権の「悪の枢軸」発言で改革は頓挫したが、変化の機運は確かに高まった。

第6代大統領の保守強硬派アハマディネジャド（2005〜13年）は革命防衛隊の出身だ。国際社会の反対を押し切ってウラン濃縮活動を拡大し、欧米諸国との関係悪化や経済制裁強化を招いた。公共事業や補助金で貧困層救済を打ち出したが、場当たり的な政策は国内経済の低迷に拍車を掛けた。

第７代大統領の穏健派ロウハニ（２０１３〜21年）は、一転して国際社会との対話路線を推し進め、イラン核合意実現で経済制裁は解除された。米制裁を再発動させたトランプ政権を前に妙手は見いだせなかったが、「米イラン戦争」へと突き進むことはなかった。女性の服装規制への反対発言など、既存のルールに縛られない姿勢は反響を呼んだ。

第８代大統領の保守強硬派ライシ（２０２１年〜）は、政治的な評価は今後に委ねられる面が大きいが、文字通りハメネイの秘蔵っ子だ。主に司法畑を歩み、検事総長、国内最大聖地イマーム・レザー廟の最高位、司法府代表を歴任し、異例のスピード出世を果たした。社会的弱者に優しいとの見方の一方、１９８８年の政治犯大量処刑では裁判官役の一人だった疑いがある。実務経験は乏しいが、保守色の強い政権運営が確実視される。

直近４代でも実にカラーがまちまちだが、その時々の大統領が誰であるかによって、イランの運命が決まってきたことは紛れもない事実だろう。最高指導者は国家の大方針を決定するが、一切合切を差配するわけでは決してない。レッドラインを踏み越えることさえなければ、歴代大統領には相応の「裁量」を与えてきたのである。

イラン憲法は大統領の要件に、イスラム革命体制の原理原則や国教（イスラム教）を信じる人物であることを挙げている。ただ、必ずしもイスラム聖職者である必要はなく、実際にアハマディネジャドは非聖職者だった。そうした意味でも、大統領はイスラム共和制の「共和制」の側面を体現する存在と言えた。

選挙制度の特殊性

4年に1度のイラン大統領選はかねて、お祭り騒ぎそのものだった。私が取材した2017年大統領選は、穏健派の現職ロウハニと保守強硬派の新人ライシとの事実上の一騎打ちとなった。選挙戦は接戦の様相を呈し、投票所はどこも長蛇の列だった。ロウハニ再選が決まった夜、支持者は勝利を祝おうと一斉に街頭に繰り出した。テヘランの目抜き通りだけでも数万人をゆうに超える人出があり、お年寄りから若者まで楽器の生演奏やダンスで喜びを爆発させていた。「もっと自由な社会が訪れるぞ」と感極まる声が上がっていた。

だが2021年6月の大統領選は一転して、盛り上がりは皆無だった。立候補を届け出た592人のうち、護憲評議会の資格審査で穏健派・改革派の有力者はすべて排除された。候補者の資格を得た7人のうち一定の得票が見込めたのは、前回に引き続き出馬した保守強硬派ライシだけで、有権者にとっては選択肢がない選挙となった。投票率は48・8%で、イスラム革命以来最低となった。テヘラン在住の友人男性からは「仕方なく穏健派の泡沫候補に票を入れたけれど、投票行動に意味を見いだせなかった。仲間はみんな抗議の意思表示で投票をボイコットした」と打ち明けられた。

立候補手続きで護憲評議会が生殺与奪を握る選挙制度は、欧米諸国の一部から「非民主主義的な選挙制度」と批判される根拠にもなってきた。それでも、中東に絶対君主制や独裁制の国家があまたある現状を踏まえれば、イランは相対的に民主主義が機能してきたとの見方ができたはずだった。２０１７年大統領選では、これほどの喜怒哀楽を１票に託す有権者が日本に一体どれほどいるだろうとまで感じた。

だがここに来て、候補者対決の構図が恣意的に作り出される選挙制度の特殊性が改めて浮き彫りになった。政治に国民の声を反映させるという体裁を取りながらも、お上のさじ加減で民主主義的要素は強まったり弱まったりする。「指導部の思惑」と「有権者の民意」の微妙なバランスの上に成り立っているのが、イスラム共和制と言えそうだ。

「禁酒国」のアルコール事情

インターホンの音が静寂を破ったのは、約束の時刻を少し過ぎたころだった。テヘラン市街地に佇む人けのない雑居ビル。締め切った窓にはカーテンが引かれ、外の宵闇に室内の気配が漏れ伝わらないように注意が払われている。

施錠が解かれ、玄関のドアが開いた。質素な身なりをした中年男性が、上客向けの愛想笑いを浮かべて立っていた。日焼けした両手に持った黒のビニール袋は、ずっしりと重たそうだ。中には、缶ビールやワインボトルがぎっしりと詰まっていた。差し出されたイラン・リアルの札束を素早く数えると、男性は謝辞もそこそこに姿を消した。

イスラム教の戒律に基づき、イラン国内では法律でアルコールが固く禁じられているはずだった。酒の製造や販売、消費から輸入まで、すべてが違法だ。露見すれば、禁錮刑やむち打ち刑といった厳しい刑罰に処せられる可能性だってある。現実に街頭のどこにも、酒類を提供するレストランやバー、リカーショップはなかった。

ここは警察の目を巧みに逃れ、水面下で繰り広げられてきた密売の現場だった。映画さながら、スラム街の無法地帯や誰も知らない地下アジトで顔を突き合わせるようなまねはナンセンスなようだ。摘発リスクを極力下げるため、末端の「運び屋」を遠隔操作で動かし、依頼主の自宅や事務所まで届ける宅配方式が常套手段となっていた。

禁断の酒は一体、どこからやって来るのか。密輸事情に通じた関係者によると、主要ルートは陸路だという。隣国のトルコやイラクからの積み荷が、監視の目の届かない山岳地帯や悪路のあぜ道を通り、国内に持ち込まれるケースが多い。賄賂に物を言わせて税関当局の悪代官とずぶずぶの関係を築き上げ、幹線道路を白昼堂々と通過する無法者だっている。

私が垣間見た密輸現場では、そうした調達ルートの存在を裏付ける痕跡も確認できた。缶ビールには表面に泥が付着したり、傷や凹凸ができたりしているものがあった。よくよく観察していくと、ワインのボトルデザインもちょっと変わっていた。水平の断面は、お馴染みの円形ではなく楕円形だ。瓶底は澱を沈めておくために普通は内側にへこんでいるものだが、それもない。ラベルには「フランス製」とあるが、ひょっとすると偽造品なのではないか。

密造蒸留酒も流通

それにしても、キャビネットに体裁よく並べていけばたちまちオーセンティックなバーが出来上がりそうなほど、ブツのラインナップは充実している。缶ビールだけに限っても、「ハイネケン」のような欧州の人気ブランドもあれば、トルコ製や中国製といったマニア垂涎の珍品もある。イランと敵対する米国で「キング・オブ・ビール」と親しまれてきたバドワイザーを発見した際には、思わず目を疑った。

ただ、値段は密輸品だけに法外そのものだった。2018年春の段階で、ワインボトルはビンテージ物でなくても180万リアル（約4540円）。ウイスキーボトルは300万～400万リアル（約7570～1万1000円）。ビールに至っては、ロング缶1本だけで40万～55万リアル（約1000～1370円）もの値段が付いた。イランの通貨価値が下がるところまで下がった2020年には、ブツによってはさらに倍額以上に跳ね上がったとも耳にした。物価水準がはるかに高い日本の金銭感覚からしても、相当な高価格帯だ。低アルコールのビールがぼったくり同然なのは、運搬コストが容積に比例するからなのだろう。

家計を切り詰める庶民には手が届きそうもないが、諦める必要はないようだ。現地では「アラク」と呼ばれるハイアルコールの密造蒸留酒が出回っていた。「安い、早い」で手軽に酔えるというのが評判だったが、中には粗悪品も混ざっていた。飲酒後に体調が突然悪化し、急性症状で死亡する事件が稀に表面化していた。

「地下クラブ」で乱痴気騒ぎ

イラン国民と酒の縁は思いがけないほど深く、密売現場だけにとどまらない。私が住んでいたテヘラン北部のマンションでは、週末の深夜になればダンスミュージックの重低音や男女の嬌声が壁伝いに響いてきた。隣の部屋に若者が集い、「地下クラブ」と化していたのだ。大抵の場合、盛り上がりは日付が変わったころに最高潮となり、千鳥足となったゲストがぞろぞろと引き上げていくのは午前2時台か3時台だった。この部屋の主は資産家の御曹司で、痛飲しては乱痴気騒ぎを繰り返していた。イランには繰り出すべき夜の街もなければ、プライベートに花を添えるバーやクラブもない。エネルギーを持てあました若者の間でしばしば見られるストレス発散の手段だと聞き、妙に合点がいった。

空の旅ともなれば、さらに露骨な光景が広がっていた。国内便では機内サービスのアルコールが出ず、搭乗者に扮した当局者の目も光っているが、外国航空会社が運航する国際便は千載一遇の「飲み放題」だ。客室乗務員を閉口させるほど注文を重ね、酩酊状態で騒いでいる乗客がいれば、ほぼすべてがイラン人だった。テヘランに到着する直前、妙齢の女性はそそくさとトイレに向かう。ほんのり紅潮した顔を化粧でごまかし、ぎりぎりまで外していたヘジャブで髪を覆うためだ。もういい年なのに飲み足りないのか、テイクアウト感覚でウイスキーのミニボトルを余分に注文し、ポケットに忍ばせて密輸を企てる男性もいた。

ワインの密造方法を独学で調べ上げ、ブドウや酵母を調合して自家醸造に励む好事家に出会った際には、彼の執念に敬意さえ覚えた。人間というものは禁じられているからこそ、あの手この手をひねり出しては追い求めようとするものなのだろうか。

イランの人口ピラミッドを見ると、40歳以下の「革命後世代」は約6割に達している。往時の顚末を肌感覚で知る革命世代と比べ、柔軟な思考を持っているのは明白だ。むろん、飲酒などもってのほかだという敬虔なイスラム教徒が大勢含まれていることは強調しておく必要があるが、愛飲家のイラン人はこれからますます増えていくのではないだろうか。

捜査当局は折に触れ、酒の密売組織や地下クラブを摘発し、現場で押収した証拠の写真とともに大々的に公表してきた。それはどちらかといえば、一罰百戒を狙った見せしめの側面が強い。すべての現場を原理主義的に断罪しようとすれば、もはや収拾が付かなくなると考えているからに他ならない。

たとえ地球上のどんな場所にあっても、酒というものは語り尽くせそうにないようだ。

禁酒国イランのアルコール事情には、時を追って千変万化するライフスタイルが鮮明に投影されていた。

庶民文化のプラットフォーム「チャイハネ」

濃厚な紅茶の香りが漂っていなかったならば、わずか畳1畳分の空間はきっと見過ごされてしまうだろう。テヘラン下町の名物「チャイハネ」(喫茶店)は、狭い路地裏にそっと佇んでいた。迷路状の商店街は総距離10キロ超に及び、ありとあらゆるものが揃うことから「都市の中にある都市」とも称されるグランド・バザールの一角。カウンターだけの店頭では、常連客が立ち話に花を咲かせている。

チャイハネはイランの庶民文化のプラットフォームだ。16世紀ごろにオスマン帝国から伝来した喫茶店が独自に発展を遂げたとされ、テヘラン市内だけでも約2万店舗が営業する。サモワールという茶器を使用し、茶葉入りのポットを下からお湯の蒸気で温めて煮出しするため、紅茶はコクと苦味が強い。客は角砂糖を丸ごと口に放り込み、グラスに注がれた熱い液体をすする。水たばこをくゆらせ、時に何時間もくつろぐ。

創業100年の老舗「ハジアリ・ダルビッシュ・ティーハウス」を私が訪問したのは、2018年2月だった。「今も昔も、ここは人々の交流の中心。ずっと変わらないさ」。顔の下半分が白ひげに覆われた4代目店主カゼム・マブフティアン(60)が、柔和な笑顔を

イランで最も小さなチャイハネ「ハジアリ・ダルビッシュ・ティーハウス」。紅茶を注ぐ男性が店主のカゼム・マブフティアン。

浮かべた。モスクから抑揚のあるアザーンが流れてくる。近所の商店経営者がぞろぞろと昼の礼拝に出掛けていく。その場に流れていたのは、脈々と紡がれてきた悠久の時間だった。

ペルシャ伝統にも時代の波

古代ペルシャ帝国以来、文明の交差点ともなってきた多民族国家イランは、実に味わい深い伝統文化を誇っている。諸外国とは一線を画すエッセンスが詰まった風習は、チャイハネの他にも枚挙にいとまがない。代表格だけでもいくつか紹介しておきたい。

まずは何と言っても、華麗なデザインが存在感を放つペルシャじゅうたんだ。日本でもよく知られる伝統工芸品だが、大抵の民家で客間やリビングの目立つ場所に敷かれていることからも、いかに大衆の日常に深く根付いているかが分かる。女性職人が絹糸などを1本1本手作業で織り上げた高級品で、著名産地であれば数百万円相当の値段が付くこともある。自宅新築や結婚といった人生の節目でお祝いの品として贈られるほか、家宝として代々受け継がれてきたケースも多い。

庶民生活に彩りを添えるペルシャ音楽は、古くは歴史を紀元前にまで遡る。ゴブレット形の片面太鼓トンバク、三味線のルーツに近いとも言われる弦楽器セタール。台形の木箱の上に4本1組の金属弦が18組張られ、細い木製のばちで叩くサントゥール。個性的な伝統楽器の奏者たちがアドリブをふんだんに交えながら紡ぐ音色は、一聴の価値がある。

季節のリズムを生み出す暦はユニークで、ゾロアスター教などが起源となっている。正月であるノウルーズは3月20日ごろ。直前の火曜夜にはたき火の上を飛び越えて無病息災を祈り、正月休みには親族で集まってお祝いをする。年の数え方はイスラム暦と同様、預言者ムハンマドがメッカからメディナに移った西暦622年を起点とするため、西暦2021年春からの1年間はイラン暦1400年に当たる。

週末は木曜と金曜。これにシーア派やイラン革命関連の祝祭日が加わる。西暦の年末年始や土日は平日ということもあり、イランと出身国のカレンダーを両睨みしなければならない外国企業の駐在員は、慣れるまで気分が休まらない。

そんなイランの伝統にも、時代の波はゆっくりとではあるが、確実に押し寄せている。吹き抜けの瀟洒なエントランスホールにBMWが展示され、家具店やブティックには欧米風のライフスタイルを提案するディスプレーが並ぶ。品揃えのいい高級スーパー、書店、ドラッグストア、フードコートが集中し、地下の立体駐車場は抜群の利便性を誇る。テヘラン北部に近年オープンした百貨店「パラディアム・モール」だ。都市部には富裕層向けの大規模商業施設が次々と出現し、バザールに代わる新たなショッピングの場となっている。

コーヒー文化が徐々に浸透し、カプチーノやエスプレッソを提供するカフェの需要が増えた反面、チャイハネの店舗数は微減傾向となった。同じ巨費をペルシャじゅうたんに投じるのであれば、最新のタブレット端末やスマートフォンを手に入れたいと考える消費者も増えた。若者グループはカーステレオで欧米風のダンスナンバーを選曲し、最近は女子学生の間でBTSやEXOといった韓国の男性音楽グループが大ブームとなっている。

「田舎にはまだまだ伝統的な価値観が残っているけれど、今どきの都会の若者はまるで違うね」。テヘラン在住の20代のイラン人男性は言い切った。リベラルな彼はバザールやチャイハネに立ち寄ることはごく稀で、ノウルーズには親族の集いに一切顔を出さないため両親と口論になるという。日本に置き換えれば、外国人が「これぞ日本」とイメージする歌舞伎や芸者、盆踊りが必ずしも実生活に身近なものではなくなっている、というところだろうか。

とはいえ、イランは他の国・地域と比べれば、外来の文化や価値観にそれほど浸食されていない。情報統制や経済制裁といった政治的要因も当然作用してはいるが、それだけではないようだ。「核問題で誤解も多いが、イランの民度は高い。人々にとって、音楽やアートはそのアイデンティティーを確かめさせてくれる存在なんです」。名門テヘラン大大学院音楽学科を卒業した日本人サントゥール奏者の岩崎和音は、現地での演奏活動などで感じ取った大衆心理をこう解説した。

グローバル化がますます加速し、イノベーションで新たなものが次々に生まれていく世の中にあっても、イランには古きよき伝統を大切にしようという気風が息づいている。従来と同じように人々に親しまれ、愛されていく限り、魅惑のペルシャ伝統のこれからは決して暗くはない。

飛行機の大半は「博物館クラス」

着陸態勢に入り、高度を徐々に下げる旅客機の機内には、不気味な振動音が響き続けていた。頭上のベルト着用サインや照明のスイッチは経年劣化ですり切れ、子どものおもちゃを連想させるデザインは明らかに一時代前のものだ。疑心暗鬼になっているからか、心なし機体がふらふらしているような気もする。

胸騒ぎは収まらず、冷や汗が出てきた。周囲のイラン人乗客も顔をこわばらせ、少なからず同様の感情を抱いていることが窺える。座席シートに身を沈め、祈るような思いで過ごすことしばらく、どうにか滑走路上に着陸した。急減速に体が引っ張られるのを感じた瞬間、はずみで目の前の天井パネルが派手にはがれた。

機体が徐行を始めると、安堵のあまり全身の力が抜けた。客室乗務員の女性がこれもルーティン業務といった風情で、はがれた天井パネルを元の位置に戻そうとしている。反射的にスマートフォンでその様子を撮影しようとすると、ぴしゃりと言われた。「セキュリティー上問題だから撮らないで」

イランは国土面積が日本の約4・3倍と広く、陸の公共交通網は十分発達していない。テヘランから離れた地方都市に出張する際、大抵の場合は飛行機を利用することになる。大事な移動の足なのに、なぜ往々にして不安や恐怖に駆られなければいけないのか。理由は紛れもなく、長年にわたり科されてきた経済制裁だった。

米国は一定割合以上の米国製部品を含む旅客機について、イランへの輸出を認めてこなかった。世界の航空産業をリードする米国のパーツは、単に米企業であるボーイングにとどまらず、エアバスなど欧州の航空機メーカーの旅客機にも広く組み込まれている。ゆえにイランは主要な外国製旅客機を輸入できず、運航中の機体の大半が30年以上前に製造された「博物館クラスの旧型」（米メディア）となってしまった。

世界的にも極めてレアな機体の乗り心地を堪能しようと、外国からわざわざやって来る飛行機マニアもいると聞いたが、ただの生活者である私たちにそんな酔狂な嗜好があるわけもない。現実問題として、イラン国内では航空事故が頻発していた。知り合いの地元男性からは、実家に帰省した際に搭乗機が運航トラブルで不時着し、同乗していた乗客が死傷したエピソードを震えながら打ち明けられた。

航空機に関する米制裁は2016年、イラン核合意に伴い一度は解除された。老朽化した機体の更新は喫緊の課題となっていたため、イランはボーイングやエアバスから計200機超を購入する大型契約を締結した。2017年1月、最初の1機がテヘランのメヘラバード空港に到着した際、盛大に催された記念式典を取材した時の光景は印象的だった。「歴史の新たな1ページとなった」。格納庫でぴかぴかの機体と対面した航空当局者は、ようやく空の安全を確保できるめどが立ったことにほっとした様子だった。付近の撮影禁止エリアを通過する際、主翼や胴体がぼろぼろになり、廃棄処分となった旅客機がいくつも無造作に放置されているのを目にし、ぞっとした。新品のボーイング機とエアバス機はその後も続々とやってくるはずだったが、米制裁の再発動に伴い、イランが実際に獲得できたのは契約対象の200機超のうち3機だけに終わった。

一筋縄ではいかない経済制裁下の生活

イランの日常には経済制裁が確かな影を落としている。とりわけ私のような現地生活歴の浅い外国人は、母国では経験したことのない特異な状況に直面し、立ち往生する場面が少なからずあった。

「あの、すみません……、ひょっとして日本の方ですか」。空港ターミナルである時、日焼けした日本人の青年に声を掛けられた。現金の手持ちがなく、野垂れ死にするのではないかと途方に暮れているという。大学の卒業旅行で世界各地を一人旅していた彼は、クレジットカードが利用できないことを知らないままイランに入国し、滞在費用を捻出できなくなっていた。

イランの国内銀行は米制裁のあおりで、国際決済ネットワークを運営する国際銀行間通信協会（ＳＷＩＦＴ）から遮断されていた。そのため、現地では国際的なクレジットカードブランドの決済システムが機能せず、ＶＩＳＡやＪＣＢのカードも通用しなかった。万国共通のクレジットカードさえあればどこでも安心、というのが日本の常識に違いない。彼の境遇にさもありなんと同情し、財布に幾ばくか入っていたリアルの札を進呈した。

苦肉の策だろう、イランも「経済鎖国」ならではの独自決済システムをひねり出し、普及させていた。私は現地に赴任後しばらく、高額な買い物のたびにインフレで価値が目減りしたリアルの札束をいくつも持ち歩いていたが、ひとたび国内銀行で預金口座を開設すれば代金を口座引き落としにするデビットカードを利用できた。それでも、肝心要の国際取引はどうにもならず、周囲のイラン人はいくら頑張ってもクレジットカードの審査が下りないと嘆いていた。外国渡航時のホテルや航空券のインターネット予約では、本人確認や代金支払いに必要なツールになるため、手続きを代行してほしいと泣きつかれることもあった。

仕事からプライベートに至るまで、一つ一つの局面でスムーズに事が運ばず、思ってもみなかった手間や苦労にきりきり舞いになる。数々のハードルと長年付き合ってきたイラン人は「これが日常」と言わんばかりに粛々とやり過ごしていたが、経済制裁下の生活はやはり一筋縄ではいかない。何もかもが便利な日本とは次元が異なっていた。

反骨精神の「マシュドナルド」

爽やかな秋のランチタイム、テヘラン西部の街頭にハンバーガーの焼ける香ばしい匂いが漂っていた。空き腹を抱えた客が吸い寄せられていく店頭には、赤のベースカラーにお馴染みの黄色い「M」のマークが浮かぶ。レジ前の広告ポスターの中で、ピエロのマスコット「ドナルド」がおどけたしぐさを見せていた。

2017年11月。もはや説明の必要がないほど既視感は明白だったが、一見して何かがおかしかった。これでもかと言うぐらいに何カ所も掲げられた店名には「MashDonald's」とあった。マクドナルドではなくて、マシュドナルド。でもあまり目立たない場所に、ちゃっかり「McDonald's」と綴ってあるのは見逃せない。

マクドナルドはおろか、ピザハットもサブウェイもイラン国内に正規店は存在しない。背景には、米国がイラン核問題関連の制裁とは別途、ミサイル開発や「テロ支援」を理由に科してきた対イラン制裁があった。これは米企業に原則、イランに関わる貿易・投資を禁じる内容だった。それに加え、イランのイスラム革命体制も「大悪魔」と呼ぶ米国の文化を拒絶してきた。

実のところ、米国文化をこよなく愛するイラン人は少なくない。繁華街の露天商を訪ね歩けば、ハリウッド映画作品の海賊版DVDの需要がいかに高いかが分かる。電気街には米アップルの店舗「アップルストア」と見紛う店舗があふれ、第三国経由で調達したiPhone（アイフォーン）が正規価格を大幅に上回る値段で売れていた。米国型の大量生産・大量消費社会を象徴するファーストフードが垂涎の的となるのは、火を見るより明らかだ。

ピザハットならぬ「ピザホット」、サブウェイと思いきや「サブライム」。テヘランの市街地には、本物そっくりの飲食店が少数ながら看板を掲げ、控えめに営業していた。ネームバリューにあやかった荒稼ぎが目的と推察されたが、反米国家で如才なく立ち回るのは至難の業だ。関係当局のプレッシャーは凄まじく、気付いた時には忽然と姿を消している店舗も珍しくなかった。

そうした困難な獣道を、テヘランのハンバーガー店「マシュドナルド」は反骨精神だけで歩んできた。極太のわし鼻に、鋭い二重まぶた。これは偽物ではないというレイバンのサングラス。アウトローな雰囲気をぎらぎらと漂わせる店長ハッサン・パドヤブ（67）は、シンプルに語った。「心のこもったもてなしに惚れちまったんだ」

マクドナルドとの出会いは40歳を過ぎたころ。ドイツに旅行中、チェーン店舗の一つにふらりと立ち寄った。ハンバーガーを口にしてみると、予想以上にうまい。3個をぺろりと平らげ、翌日にすかさず再訪した。同じように3個注文すると、レジの店員は訳知り顔で接客対応し、特別サービスで3個目は無料にさせてもらいたいと申し出た。

どうしてなのか店員に詰め寄らなければ、真相を知らされることはなかっただろう。前の日の豪快な食べっぷりに惚れ込んだ店長が「もし彼が再訪することがあれば、素敵な体験をさせてあげて」と内々に取り計らっていた。ハッサンは小粋な演出に感動した。結局、ハンバーガーと店の雰囲気を目当てに4日連続で通い詰めた。

「何とかして、マクドナルドの最後の空白地帯を埋めてやることはできねえか」。イランに帰国後、店をオープンしたいとの願望が頭をもたげた。反米のイスラム体制下、マクド

マクドナルドの模倣店マシュドナルド。手前中央で椅子に座っているのが、オーナーのハッサン・パドヤブ。

ナルドは言うなれば「悪魔のシンボル」。相当な経営リスクがあるのは想像に難くない。元々、なりわいはナッツ農場経営で、飲食業界で働いたキャリアがあるわけでもなかった。それでも、思い立ったが吉日。習うより慣れよ。我流で準備を重ね、十数年前に看板を掲げた。

関係当局や保守強硬派からの風当たりは推して知るべしだ。革命黎明期、マクドナルドのそっくり店舗はオープン翌日に放火され、営業を停止した。１９９０年代、あるハンバーガー店は「Ｍ」のマークを広告に用いただけで脅迫電話が殺到し、閉鎖に追い込まれた。最高指導者ハメネイでさえ、ブランドそのものを名指しで指弾したことがあった。

イラン一流の男気

ハッサンはどこまでも突っ張った。「誰に何と言われようと、俺はマクドナルドに首ったけなんだよ」と開き直り、威嚇や恫喝に真っ向から挑んだ。ペルシャ語で「素晴らしい」を意味するマシュディから取った店名は、行政手続きで登録不受理となったが、看板はマシュドナルドのまま変えなかった。商標権の侵害ではないかと指摘されても「いい宣伝になるだろうが」と譲らなかった。心意気が届いたのか届いていないのか、マクドナルドから抗議はなかった。一難去ってまた一難の繰り返しだったが、連日約200人が訪れる人気店に育て上げた。2号店もオープンする運びとなった。

「さあ、食べてみろ。サービスだ」。銀紙にくるまれた出来たてのハンバーガーを、ハッサンがしきりに勧めてきた。なるほど、マクドナルドの単なる猿まねではないようだ。バンズの焼き加減は絶妙で、挽肉の甘味が口いっぱいに広がった。イランの庶民料理に着想を得た「羊の脳みそのサンドイッチ」は、焼き白子のように濃厚だ。いずれもまた食べてみたいと思わせる、オリジナルの味わいだった。

その場に居合わせた常連客はマクドナルドへの憧れというよりも、ハンバーガーのクオリティーやハッサンの人柄に惚れ込み、店に足を運んでいるようだった。インフレで食材価格が跳ね上がっても、良心的な値段設定に極力変更は加えない。路頭に迷ったアフガニスタン難民を手招きし、こっそりと振る舞う。マシュドナルド成功の秘訣は、本家本元から受け継いだというホスピタリティーにあるのだろう。

「いいか。政治ってもんはな、人間の胃袋には何の影響も及ぼせねえんだよ」。マシュドナルドの運命を握りそうな米イラン関係の行方など、ハッサンはどこ吹く風だ。およそ実現不能に思えるマクドナルドとのフランチャイズ契約に、時が熟せば手を上げてみたいと大風呂敷も広げてみせた。自分の正義をとことんまで貫き、とがったセリフを吐いては不敵な笑みを浮かべる姿に、イラン一流の男気が宿っていた。

逆境を逆手に成功する配車サービス

たっぷりと外光が差し込む窓の向こうに、山の手の一等地が眺望できた。大理石造りのオフィスビルをエレベーターで上がり、案内された業務フロアは、いつも喧噪にまみれたテヘランの路上とは別世界だった。観葉植物やおもちゃ、カラフルな風船。ハイセンスなインテリアが遊び心を演出する。

２０１７年３月、私は破竹の勢いの新興ＩＴベンチャーを訪ねていた。テヘラン市民の日常の足を変えた配車サービス「スナップ」だ。ラフな格好でデスクトップに向かう社員は平均年齢24歳。年功序列や業績ノルマといった既成概念など歯牙にもかけない日々だろう。ゆるめでクリエイティブな社内の雰囲気は、進取の気性に満ちていた。世界の最先端を走るITベンチャーの集積地、米シリコンバレーを想起させた。

スナップはスマートフォンにアプリをインストールすれば、誰でも簡単に利用できた。車を呼びたい時、地図画面でスタート地点と目的地をタップするだけで手続きは完了する。運賃は事前通知されるため、下車時に運転手とトラブルになる心配もなかった。テヘランは東京のように都市鉄道網がきめ細かく張り巡らされていない。私のような土地勘や相場観のない外国人は何度もタクシーにぼったくられ、煮え湯を飲まされた経験があるものだ。スナップの存在を知った時は、こんなサービスを求めていたと感動した。

分刻みのスケジュールの合間を縫い、インタビューに時間を割いてくれた最高経営責任者（CEO）のシャフラム・シャフカル（32）は、時代の寵児だった。ノーネクタイのカラーシャツとジャケットを無造作に着こなし、軽妙に受け答えをこなす姿は、今を時めく若手起業家そのものだ。英国留学で身に付けた滑らかな英語に大ぶりなジェスチャーを交え、彼は涼しげに言い切った。「お察しの通り、私たちのビジネスモデルは米配車大手ウーバー・テクノロジーズのコピーだ。さらなる利便性を追求して、独自の改良を加えているけどね」

ウーバーは日本も含めた世界中に事業展開している。いくら後発組が競争を挑もうと、ノウハウも資金力も匹敵するわけがなく、所詮は二番煎じとなるはずだ。なのになぜ、そっくりのサービスが一国の市場を席巻するまでに成長できたのか。実はここにも、米企業に対イラン貿易・投資を原則禁じた米制裁が作用していた。

ウーバーは仮にイラン市場に進出した場合、制裁違反となってしまう。そのため、イラン国内では消費者の潜在的需要は高いのに、肝心のサービスを供給すべき存在がいない真空状態が生まれていた。欧米のベンチャー事情にも明るいシャフラムが、イランという「閉鎖経済」ならではの特異現象を見逃すはずもなかった。

イランベンチャーの真髄

「2010年代初頭にほぼ0社だったイランのITベンチャーは、2017年までに500社を突破した。中東でも屈指の水準だ」。業界事情に詳しい若手編集者ハメド・ジャファリ（26）が解説してくれた。驚くべきは、それらの大半が米IT企業のサービスを気持ちいいほどに模倣していることだった。現地配送網を構築できないアマゾンに代わるのは、通販サイト「デジカラ」。サイトへのアクセスが当局によって遮断されてきたユーチューブに相当するのは、動画投稿サイト「アパラット」。欧米帰りの帰国子女を中心に、イラン人の若手が雨後の筍のように起業し、ビジネスを軌道に乗せていた。

ITサービスを世界展開するプラットフォーマーの四大巨頭で「GAFA（ガーファ）」

と呼ばれるグーグル、アップル、フェイスブック、アマゾン・コムは、すべてが米企業で占められている。あらゆる国を呑み込まんばかりの勢力を誇る彼らにとって、人口8000万人超を抱えるイラン市場は随分と魅力的に映っているだろう。米国が独自制裁を発動したのは、IT革命が人類の生活を一変させる前だった。日進月歩で進化を続けるイノベーションのスピード感は、当時は想像もできなかったに違いない。

「世界ではユニークでなくても、この国では全く新しいものになり得る」。シャフラムの言葉には、まさにイランベンチャーの真髄がこもっていた。スナップはわずか2年あまりで既存のタクシーや公共交通機関に取って代わり、テヘラン都市圏で爆発的に普及した。約5千人のドライバーが稼働し、利用者は約200万人に到達した。ウーバーが飲食店の料理を配達する新サービス「ウーバーイーツ」に手を広げれば、それをまねてすかさず「スナップフード」を始動させた。二番煎じもここまで来ると、もはや一流ではないか。

乱高下するビジネス環境に身を置きながら、イランの若手起業家はピンチを巧みにチャンスへと変えていく。機転と商魂を兼ね備え、しなやかに生き抜く彼らの姿に、世界に冠たるペルシャ商人の片鱗を垣間見た。

ネット空間で自らを解放する女性たち

青海原を背に、心地よさそうに豊かな髪をなびかせる表情がまぶしい。イラン人女性のヘアースタイルと言えば、普段は頭部を覆い隠したヘジャブやチャドルばかり見ているからだろう。すらりと鼻筋が通った彼女は、見違えるような姿をしていた。

フェイスブックのアカウント「私のひそかな自由」には、さまざまな場所で思い思いにポーズを取るイラン人女性たちが登場する。一つ一つ眺めていくうち、それぞれのスナップショットに詰まっているのは解放感ばかりではないことに気付く。サングラス姿や後ろ姿のカットが目立っている上、被写体のプロフィールは見当たらない。

ことさらに種明かしするまでもない。アカウントにアップロードされている写真の撮影場所は、屋外で女性の服装規制が徹底されるイランだった。もし個人が特定されてしまえば、罰金や身柄拘束の恐れが生じる。彼女たちは火の粉が降りかかるリスクを最小限に抑えながら、したい格好ができない現状に静かな異議申し立てを行っているのだった。

イスラム体制ならではの綱紀粛正のメカニズムは四角四面で、時に涙ぐましいほどだ。街頭では大勢の「モラル警察」が巡回し、女性がドレスコードに違反していないかに目を光らせている。本やテレビ番組、映画といったコンテンツは事前検閲が厳しく、自然なボディータッチもラブシーンもご法度だ。国際郵便で届いた日本の新聞の広告面で、女性モデルのフィットネスウェア姿がマジックで黒く塗りつぶされているのを目にした際は、税関当局者の執念に頭が下がる思いがした。

おまけに、イランでは表現の自由が必ずしも保障されておらず、既存秩序の変革を目指す市民運動は取り締まりの対象となってきた。目抜き通りや政府機関前に大手を振って繰り出し、男女格差の是正を叫んだがために、国家の安全を乱したとして刑務所に送られた事件は決して珍しくはない。現実の世界で自由に声を上げるのは、多大なる危険を伴うのだ。

だからこそ、近年急速に発達し、匿名性が守られやすいインターネットは、またとない意見表明の手段となった。約10年前は「写真1枚のデータ送信に10分以上かかることはざら」（駐在経験者）だった通信速度は、ストレスを感じることなく動画をストリーミング再生できる水準にまで改善した。政府機関の調査でも、ネットユーザーは全人口の約6割に到達している。ソーシャルメディアのアカウント開設や写真投稿の環境が整うにつれ、忌憚(きたん)なく本音をさらせると感じる国民は増えた。

2018年4月、まさに「バズる」結果となった1本の投稿動画は、ネット世論が社会を動かした興味深いケースだった。「お願いだから、もうやめて」「黙れ、けだもの」。テヘランの公園らしき場所で、モラル警察の女性係官がヘジャブの位置がずれていた若い女性を怒鳴りつけ、執拗に殴打する。やがて丸腰の女性は悲鳴を上げて倒れ込み、呼び掛けにも反応しなくなる。そうした取り締まりの様子を捉えた動画は瞬く間に拡散し、「非人道的」と抗議する声は著名人や政治家にも広がった。しまいには、イラン政府が警察当局に徹底調査を命じるに至った。

一連の顚末は、この一件で面目を失ったモラル警察はおろか、イスラム革命体制にとっても想定外だったに違いない。公共の場所とは異質なネット空間では、従来のような公権力の行使もままならない。イランの市民運動の現場では、もはやバーチャルとリアルの逆転現象が起きつつあると言える。

仮想こそが現実を変える

むろん、情報通信インフラも管轄下に置く国家権力が、ただ指をくわえて見ていたわけではない。関係当局はサイバーパトロールを強化し、問題があると判断したウェブサイトは片っ端から遮断する措置を講じてきた。フェイスブックやツイッター、ユーチューブといった外来のソーシャルメディア。イスラム体制の規範にそぐわない「有害サイト」。対象は実に幅広く、日本メディアでは時事通信のニュースサイトも読めなかった。時折女性アイドルの写真特集などが組まれていたため、目を付けられたのかもしれない。

そうした中、デジタル分野に精通する猛者たちはあの手この手で抜け道を作り出しては一般国民と共有し、規制とのいたちごっこを演じていた。新型コロナの出現後はテレワーク利用でもお馴染みとなったVPN（仮想私設網）接続を駆使すれば、パソコンやスマートフォンの通信内容は暗号化され、「有害サイト」にも何不自由なくアクセスできた。なお、驚いたことに最高指導者ハメネイや政権閣僚らも規制対象であるはずのツイッターでアカウントを開設しており、ダブルスタンダードだと皮肉られていた。

イランのネット言論は今後ますます存在感を高めそうだが、当初からフロントランナーとして活躍してきた一人が、アカウント「私のひそかな自由」の運営者マシー・アリネジャドだ。アカウントには2014年の開設以来、ゆうに3000枚を超える写真が届いている。自身のツイッターのフォロワー数は30万人超だ。リベラルなソーシャルメディアのユーザーからは「私たちの代弁者であり、ナンバーワンのジャーナリスト」と評する声さえ聞いた。

ニューヨーク在住のマシーを巡っては、2021年7月に驚くべき事件が明らかになった。彼女の誘拐を計画していたとして、米司法省がイラン情報機関の工作員らを起訴したと発表したのだ。人を雇って動向を監視し、イランと関係の近い南米ベネズエラに船で連行する方法を調べていたという。マシーの影響力がそれだけ、イラン当局にとっても無視できなくなった現状の証左だろうか。その約5年前の2016年、私はニューヨーク市ブルックリン地区のカフェで、40歳だった本人にインタビューする機会を持った。

「それまでイラン人女性のドレスコードについて、公には議論のプラットフォームが存在しなかった。当事者はどう感じてきたのか、みんなで自由に意見を交わせる環境づくりが大事だと思ったの」。アカウント開設の動機を熱っぽく語るマシーには、現実世界での市民運動に絶望した過去があった。

イランでフェミニズム運動に精を出していた学生時代、関係当局の弾圧にさらされ、拘束生活を送った。それならとジャーナリズムの世界に身を投じ、新聞記者となったが、タブーを恐れない報道姿勢を問題視され、最後は国外亡命を迫られた。底抜けの明るさが印象的だったマシーは、祖国の生活を振り返る瞬間だけは涙を見せ、故郷に残した実母と再び肩を並べて歩くのが夢だと漏らした。

「これが私の武器」。一眼レフのレンズを向けると、マシーはソーシャルメディアのアプリがいっぱいに詰まっているスマートフォンを高らかに掲げてみせた。華々しく駆け抜けているサイバースペースは、紆余曲折の果てに辿り着いたユートピアなのかもしれない。彼女の半生には、仮想こそが現実を変えるイラン社会のねじれ現象がそのまま投影されていた。

執念の男装でサッカー観戦

きりりとした面構えに、ワイルドなひげ。分厚い胸板とムキムキの上腕。スマートフォンの写真アルバムには、全身から男性ホルモンをぎらぎらと放出する偉丈夫が写っていた。満員の男たちの人いきれが漂っていそうなスタジアムの観客席で、サッカー国内リーグのサポーターグッズを身にまとい、悠然と風船を振っている。

「これは試合を応援している時の私」。テーブルを挟んだ相手の言葉に顔を上げると、妙齢のお嬢さんのいたずらっぽい笑顔があった。ザハラ・ホシュナバズ(26)。普段の顔は、会計士養成機関に勤めるビジネスウーマンだった。ネイビーブルーのヘジャブに、メークを施したシャープな目鼻立ちが際立っている。どこからどう見ても、全くの別人ではないか。

2018年7月、テヘラン北部のホテルラウンジ。「言っておくけど、私はペルセポリスのファンになったわけじゃない。ファンとしてこの世界に生まれてきたの」。リーグでもトップクラスの強豪チームへの愛を、彼女は出自やDNAと同じようなものとでも言いたげに力説した。それはよしとしよう。なんで男に変装し、サッカーを観戦するという酔狂なまねをしたのか、とことんまで教えてもらう必要がある。

実のところ、イランではイスラム革命黎明期の1981年以降、女性がサッカーの試合を生観戦することができない。ピッチでプレーする男性選手は、ユニフォームの半ズボンとソックスの合間から太ももなどがちらちら露出している。それは「半裸」であり、女性の目に触れるのはいかがなものかというのが、権威あるイスラム聖職者の解釈だった。スタジアムが男女同席になるのも「倫理上問題になりかねない」と判断された。

イランにおいて、スポーツはとりわけジェンダーギャップが根強い分野だ。女性のゲーム観戦は国民的スポーツのサッカーだけにとどまらず、男子バレーボールなど他競技でも禁止となってきた。女性アスリートは1990年の北京アジア大会まで、主要な国際舞台

男装する前のザハラ・ホシュナバズ

に立つことはなかった。

　ザハラはサッカーをこよなく愛する中流家庭に育った。食卓やベッドタイムの定番の話題は、ペルセポリスのチーム成績やスター選手のファインプレーだった。でもあれだけ意気投合していたはずの父や兄は、試合当日になると家に自分だけを残し、そそくさとスタジアムに出掛けていく。「どうしていつも私だけお留守番なの?」。子どもながらに、男たちの背中に悔しさを噛み締めた。

　やがて身長が伸び、物事の分別がついた。大学の法学部を卒業し、順調に仕事のキャリアを積んだ。無難でそれなりの人生にこのままでいいのかと疑問が芽生えたのは、２０１

7年秋にテヘラン都市圏を襲った地震だった。目立った人的被害こそなかったが、街頭ではパニックが生じ、大勢の住民が車中泊を強いられた。命のはかなさを身近に感じた瞬間、胸にしまい込んでいた本音にはっと気付かされた。「夢を果たさないまま、人生は終えられない」

女性が駄目だと言うのなら、「男性」になってしまえばいい。手始めに腰まであった自慢の髪を、泣きながらばっさりと切った。専門のグッズ店で、ボリュームたっぷりの付けひげを調達した。仕上げに体を分厚いテープで何重にも巻き、上下3枚ずつ重ね着した。

2017年12月のペルセポリス戦当日、試合会場のアザディスタジアムに独り向かった。

エントランスのボディーチェックは、二段構えという念の入れようだった。警備員を前に身がすくんだが、必死で平然を装った。晴れてチェックポイントを通過し、薄暗い通路をしばらく進んだ先に、まぶしい照明と大歓声で満たされたピッチが広がっていた。「この場所に立つことができたなんて」。夢にまで見た光景に涙があふれた。

それまでさんざん凝視してきたテレビの中継画面とは、生観戦の迫力はまるで違った。ザハラは興奮を抑えきれず、お気に入りの選手につい声援を送った。女性の声色に、周囲の男性サポーターは驚きながらも事情を察し、温かく歓迎してくれた。人生で初めてじかに見たゲームは、ペルセポリスの快勝という最高の結果だった。

ジェンダーギャップ解消への一里塚

あの日をもって、ザハラの人生はすっかり変わった。スタジアムに女性サポーターが紛れ込んでいると感づいたカメラマンが、現場で隠し撮りした写真をインターネットに投稿し、ちょっとしたニュースになっていた。「勇敢だ」とたたえる声と「けしからん」と糾弾する声が、連日届くようになった。期せずして有名人にはなったが、雑音を気にしている暇はなかった。生観戦の感動が忘れられなくなっていたからだ。

再び抜かりなく男装し、スタジアム潜入にチャレンジした。ボディーチェックでは全神経を集中させたつもりだったが、返事の声で性別を見極める口頭試問で完全に一本取られた。前回顔に泥を塗られた警備当局が、同じ轍を踏んでなるものかと態勢を増強していたようだ。ザハラはあえなく正体を見破られ、麻薬の密売人と一緒に一時拘束された。刑事事件としての立件を見送った警察からは、代わりに「もう二度とスタジアムには行きません」との誓約書にサインさせられた。さらなる「再犯」は、さすがに実刑判決を受ける可能性が高い。身柄を釈放されて帰宅後、体中の男装用テープをはがす際、痛みと悔しさで涙が出た。

ここに至って、ザハラは「すべてのものには代償がある」と腹を括った。婚期を逃してしまうリスクは百も承知の上で、男らしさを追求しようと食事量を大幅に増やし、８キロ増量した。キックボクシングジムに通い、ミット打ちやスパーリングで体をいじめ抜いた。「演劇の舞台のため」とうそを付き、メークはプロに依頼した。筋金入りの女性サポーターの仲間数人に声を掛け、ノウハウを徹底指導した。頭のてっぺんから足のつま先までこだわり抜いた末、水も漏らさぬスタジアムの警備を突破し、みんなで生観戦に熱狂した。

ザハラと相前後して、スタジアムに潜入を図った女性サポーターが摘発されるケースは折に触れて報道された。禁錮6月の判決を受ける可能性があると知らされた女性が、焼身自殺する痛ましい事件も起きた。一連のニュースに国際サッカー連盟（FIFA）が憂慮を表明し、イランは2019年10月のワールドカップ予選に限ってではあるが、女性の生観戦を一定数容認した。ジェンダーギャップの解消に向けた一里塚となった。

とはいえ、保守的な宗教観の壁は依然として高く、女性だけがスタジアム観戦を禁じられる日常は変わらない。だからこそ、ザハラの夢には続きがある。「サッカーが完全に開放される日を、この目で見届けたい。いつまでも変わらなければ、権力を跪かせるまで」。女性たちの小さな意地はゆっくりとではあるが確実に、変化の渦を巻き起こしている。

第4章
社会の不合理に抗う者たち

イランでの公開処刑の現場。首にロープを巻かれた青年が殺人事件の確定死刑囚、女性は彼に息子を殺害された遺族。イランでは執行の場で遺族自ら手を下すこともできるが、最終的に女性が青年を許したために執行は免れた（撮影アラシュ・ハムシ）

公開処刑の現場を捉えた報道写真

いつの時代においても、社会の歪(ひず)みに苦しみ、居場所を探しあぐね、おのれの権利を願い求める人々は存在してきた。すべてが完璧な世界など、元からあるはずもないのだろう。私たちが暮らす日本しかり、現代イランもしかり。絶望の闇をさまよう事件遺族がいれば、自分が何者かを問い続けるマイノリティーもいる。他人のために当たり前の生活を投げ打った理想主義者、家族を守ろうと必死にもがく平凡な父親、夢に向かって全力疾走する若者だっている。

本章ではイスラム革命体制ならではの時事問題にも触れながら、彼らがそれぞれに闘ってきたエピソードに焦点を当ててみたい。私たちとは置かれている環境こそ違えど、そこには生きるヒントのようなものが眠っている気がしてならない。

これまでに出会った報道写真の中で、忘れられない作品がある。イラン学生通信の若手カメラマン、アラシュ・ハムシが撮影した組み写真だ。2015年の世界報道写真展で、約9万8000点の応募があった中から入賞作の一つに輝いた。

組み写真の序盤、先端がリング状になったロープが吊されている前で、目隠し姿の青年が何かを叫んでいる。次のカットになると、彼は首にロープを巻かれ、初老の女性から顔をはたかれていた。続いて、女性は彼の首からロープを外そうとする関係者に加わっているように見える。終盤のシーンで女性は群衆に見守られる中、涙を拭っていた。

一連の写真が連続撮影されたのは、イランの公開処刑の現場だった。青年は殺人事件の確定死刑囚で、女性は息子を殺害された遺族。最終的に女性が青年を許すことにしたため、予定されていた刑執行はその場で免じられることになったという。

日本とは死刑制度の運用が随分と異なるが、一つの事件が迎えた劇的なフィナーレをこれほどまでに生々しく伝えた佳作が他にあっただろうか。東京・池袋の写真展会場で、血の通った人間模様に引き込まれた。

処罰か許しか、ある事件遺族の答え

「容疑者が逮捕されても、おとんは帰ってこない」「娘を守ってやれなかった自分自身も許せない」。日本国内で事件記者だった時、遺族の峻烈な処罰感情や自責の念に何度も胸をえぐられた。かけがえのない肉親を奪い去った犯人なのに、どうして遺恨を晴らすことなく、許しを与えることができたのだろう。テヘラン赴任の内示が出て以来、頭を巡り続けていた疑問を直接ぶつけてみたかった。

念願叶って２０１６年10月、被写体の女性サメレ・アリネジャド（47）の元を訪ねることができた。公開処刑の舞台となったイラン北部ヌールは、水平線の彼方まで広がるカスピ海の湖畔に位置する小さな町だった。道すがら激しいスコールにも見舞われ、乾燥したテヘランとはだいぶ気候も違っていた。

ヌール近郊にある自宅のリビングで、あの組み写真と同じように黒のチャドルをまとったサメレは、熱い紅茶と甘い果物で長旅を労ってくれた。そしてゆっくりと、殺人事件の顚末を追想した。


秋も深まる2007年11月、事件は前触れなく起きた。息子アブドラ＝当時（17）＝は友達と連れ立って、地元のバザールに出掛けていた。

ショッピングを楽しんでいたところ、わざと肩をぶつけてくる男がいた。同年代の知り合い、ビラルだった。口論はもみ合いに発展した。男は激情に駆られるまま、隠し持っていたナイフを突き出した。大動脈を切られたアブドラは大量出血し、病院に救急搬送されたが手遅れだった。

葬儀で白い布に包まれ、冷たくなったアブドラの遺体を、サメレは抱きしめた。学校では前途有望な優等生で、家族に優しかった。楽しい出来事ばかりではなかったが、互いに支え合いながら生きてきた。「この子の代わりに、私を葬ってちょうだい」。墓地での埋葬では取り乱して何度も意識を失い、地面にへたり込んだ。

事件現場から逃走した男はまもなく、自宅で警察に身柄を拘束された。「別のけんかの直後で、当時はいら立っていた」。取り調べで供述した動機を聞かされ、サメレはあまりにも身勝手だと感じずにはいられなかった。「必ず同じ苦しみを味わわせてみせる」

まともに外出もできなくなり、自宅に引きこもった。重度の鬱状態と診断され、精神科に通院した。後追い自殺を図ろうと、路上で通行車両に向かって身を投げようとした。夫(53)や娘(15)も塞ぎ込み、家庭内の和やかな会話は途絶えた。

殺人罪に問われた男は裁判で死刑判決が確定し、2014年4月に公開処刑が執行されることになった。一睡もしないまま朝を迎えたサメレは夫や娘とともに、執行現場となった司法当局の施設に赴いた。周囲は大勢の見物人で埋め尽くされていた。単なる興味本位の野次馬もいれば、執行撤回を訴える人権派もいた。

やがて司法当局の係官に連れられ、男が姿を現した。両手を束縛された無様な姿で、今更恐怖にうろたえていた。あの日から約6年半、憎しみの感情が消えたことはなかった。「ようやく息子の仇が討てる」。サメレの決意は揺るがないはずだった。

世界2位の死刑執行数を記録し、「死刑大国」として名を馳せてきたイランは、刑罰の判断基準に被害者感情が色濃く反映されてきた。厳格な宗教国家のイメージにたがわず、司法制度はイスラム法であるシャリアに立脚している。

飲酒罪などに「むち打ち」の刑、窃盗罪などには「手指切断」の刑。姦通罪(不倫)になれば、投石で死に至らしめる「石打ち」の刑。日本の刑事法体系と相違点は多く、国際的には物議を醸しそうな点も有するが、いくつかポイントを押さえておきたい。

国際人権団体アムネスティ・インターナショナルの2020年の年次報告書によれば、法律上または事実上死刑を廃止しているのは144カ国・地域。年間の執行件数ではイランは246人以上で、中国に次ぐ多さだった。日本は9年ぶりに死刑執行がなかった。国によって銃殺、電気殺、薬殺、斬首とさまざまな執行方法がある中、イランは主に日本と同じ絞首刑を採っている。執行場所の大半は世間の目に触れない密室だが、一部の凶悪事件などに限って公開処刑が実施されてきた。

死刑執行の際、重きが置かれるのが「キサス」（同害報復刑）の概念だ。イランの司法制度の基軸で、「目には目を」でも知られる。女性に硫酸をかけて失明させた男に対して「被害女性によって目に硫酸をたらされ、失明させられる」との判決が言い渡されたケースは有名だ。

キサスに基づけば、刑場での「主役」は事件遺族ということになる。遺族が死刑執行の瞬間に立ち会うのはまだ序の口。死刑囚が立つ絞首台を自らの手で動かしてとどめを刺すことも、執行自体を中止することも思いのままだ。執行中止となった場合には、代わりに「ブラッド・マネー」（血の代償）と呼ばれる賠償金が遺族に支払われることになる。

死刑制度のあり方は日本社会でも論点となってきたが、日本政府はかねて徹底した秘密主義を貫いてきた。たとえ執行の事前告知や現場立ち会いを希望する遺族がいても、執行後になって死刑囚の氏名と場所が画一的に公表されるだけ。「遺族の心情を害することも考えられる」というのが情報不開示の理由だ。私たちが日本の死刑制度について議論を深めていく上でも、ユニークな透明性が確保されたイランの制度モデルは示唆に富むのではなかろうか。

「死刑大国」に変化の兆し

「私は若く、未熟だった。どうか命を救ってください」。公開処刑の執行現場となったイラン北部ヌールの司法当局施設。サメレの眼前で、かつて息子アブドラをナイフで殺めた男はすがりつくように泣き叫んだ。体はロープと拘束具で固定されていた。全体重が乗っている椅子が絞首台の役割を果たしていた。後は椅子を数十センチ横にずらしさえすれば、体は重力で落下する。首がロープで締め上げられ、絶命することになる。

許しを乞う言葉に強い衝動が込み上げ、サメレは叫び返した。「じゃあ息子を殺そうとした時、どうしてあなたは私のことを救おうとは思わなかったの？」。あらん限りの力を右手に込めた。そして、思いっきり男の頰をはたいた。

その瞬間だった。憎悪の感情がすっと引き、心が静まった。あの日以来、息子の死を命で償わせることだけを望んできたはずなのに。気持ちの変化は、秩序立ったものとは言えないかもしれない。不思議ではあったが、自分を見失っているわけではないとの確かな感触があった。

土壇場で決意を翻そうと、サメレは腹を固めた。付き添いの当局者に「彼を絞首台から下ろしてあげて」と告げた。ロープを解かれ、絞首台から下ろされた男は号泣し、礼を言うばかりだった。一部始終を見守っていた見物人から、万雷の拍手が沸いた。

男は死刑執行を免じられた代わりにしばらく服役生活を送り、後日になって釈放された。サメレはやはり顔を合わせたいという気にはなれず、自分の周囲に姿を見せるのを許可しないよう司法当局に要望した。男は遠くの街に移り住み、ひっそりと暮らしているらしい。再犯に手を汚すことなく、今度は真っ当な道を歩んでもらいたいというのが、ささやかな願いだった。

サメレの人生には思わぬ変化が訪れた。公開処刑現場を取材したアラシュの組み写真とともに当時の言動が報じられ、「許しの象徴」として時の人となったのだ。ほどなく一人また一人と、事件遺族がわらにもすがる思いで相談を寄せてきた。

求められるままに、サメレは遺族たちと向き合うようになった。事件によって犯行態様は千差万別だし、相手の思いが痛いほど分かるから、決して「犯人を許すべきだ」とは口にしない。まずは話にじっくりと耳を傾ける。その上で、自身の心境の変化を努めて淡々と語っていく。処罰か許しか、最終的に答えを出すのは遺族本人なのだ。そういった意味では、相手に助言を与える相談役というよりは、同じ目線で悲嘆に寄り添うグリーフケア活動に近いのかもしれなかった。

心を触れ合わせる過程で、同じように死刑囚を許す遺族も現れた。イラン西部ケルマンシャーのマジド・ニクザド（65）は次男＝当時（17）＝をけんか相手に刺殺された。犯人に対して強い処罰感情を持ってきたが、サメレのエピソードに感銘を受けた。悩み抜いた末に「生き直すチャンスを与えることにも、必ず大きな価値はある」と思い直した。

サメレ自身にとっても、誰かに必要とされ、心の琴線に触れる実感を持てたことはプラスに働いた。精神科のケアに頼る頻度は随分と減った。何より、事件の体験が社会の役に立てば、優しかったアブドラも喜んでくれるだろうと思えた。

遺族感情が繊細で移ろいやすいことを、サメレは自認しているつもりだ。息子を奪われた悲しみが癒えることはない。犯人には過去の過ちを背負い続けてもらいたい。それでもなお、許しを与えたことに悔いはない。

「公開処刑の現場で、もしもあの決断をしていなかったらと考えるの。きっと今のような平和な気持ちは、一生訪れることはなかった」。死刑大国イランには、かすかな変化が兆していた。

「10歳だった時、私はあの公園で体を売っていた」

夏の日差しが和らいだ黄昏時の遊歩道には、何気ない都会の日常が流れていた。整然と配置された樹木や噴水のそばで、スーツ姿のサラリーマンや買い物帰りの親子連れが思い思いにくつろいでいる。2018年7月。テヘラン都心部に位置し、地下鉄駅や劇場にも直結するこの公園は、市民の憩いの場として親しまれてきた人気スポットだった。

不意にまとわりつくような気配を感じたのは、園内を散策していた時だった。近くのベンチに、伏し目がちな青年がぽつりと腰掛けていた。髭はきれいにそられ、眉は細く整えられている。雄々しさを好みがちなイラン人男性にしては珍しく、中性的な雰囲気を醸し出していた。

「アイメークをしているのが見えたか。彼は男を相手に売春をしているんだ」。そばを通り過ぎてから一拍置き、一緒にいた知人が耳打ちしてきた。ここは雑踏に紛れ、性的少数者が出会いを求めて集う場でもあるのだという。厳格なイスラム体制下のイランで、極めて特殊な空間であることだけは確かだった。

「10歳だった時、私はあの公園で体を売っていた」。日もすっかり暮れたころ、目立たない路地裏のカフェテラスで待ち合わせた相手は、事もなげに告白した。男性として生を授かったものの、心の性は女性であるトランスジェンダーのレイハネ（仮名）だ。

性的少数者の総称LGBTのうち、Lは女性同士の同性愛者レズビアン、Gは男性同士の同性愛者ゲイ、Bは両性愛者バイセクシュアル。最後のTがトランスジェンダーで、生まれながらの性別と自認する性別が異なる。体の性に不快感を持ち、専門的な医療機関でカウンセリングやホルモン療法を受けるほか、子宮や卵巣、陰茎や精巣を摘出する性別適合手術を望む人々も多い。国際的にもままあることだが、20代前半のレイハネも所定の手術を受けた上で数年前に性別を変更し、女性として生きていた。

カラフルでセンスが光るスカーフやコート。グラデーション仕立てのネイルアート、きれいに引かれた口紅。ファッションを存分に楽しむ彼女の雰囲気は、紛れもなく今どきの女性だ。ようやく本当の自分を手に入れることができたのだろうか。そんな第一印象とは裏腹に、時折涙を交えながらの打ち明け話は、苦渋に満ちたものだった。「居場所なんてずっとなかった。私には何の未来もない」

テヘランで生まれ育ったレイハネは物心ついた時から、女の子っぽい格好をするのが好きだった。どうやら自分はみんなと違うらしいと気付いたのは、8歳の時。内に秘めてきた衝動を抑えきれず、顔にほのかにメークをして小学校に登校するようになった。

イランの小中高校はイスラム体制下、男女分離が徹底されてきた。異性の存在がなかったクラスで、やがてレイハネはいじめの標的となった。LGBTに理解のない先生は扱いに困り、たびたび他の児童から隔離した。大人になったら従姉妹と結婚するのを望んでいた両親は「男らしくしろ」と怒り狂った。親子間の確執は埋まらず、10歳で勘当された。

繰り返した自殺未遂

まだ小学校も卒業していない「少女」が実家を追い出され、まともに生きていけるわけがなかった。無一文で身を寄せるあてもなく、暗中模索の野宿生活が始まった。街中を巡回するモラル警察の影に怯えながら、寝床を転々とした。公園で空腹に耐えかね、わずかな金と引き換えに行きずりの大人から体を求められるに任せた。暴漢に襲われ、ナイフで胸部を切りつけられた。病院で手術を受けたが、傷痕は消えなかった。

同じ辛労辛苦の境遇を見かね、手を差し伸べてくれるトランスジェンダーがいた。やがてその人の厄介になりながら、商品箱組み立ての内職で糊口(ここう)を凌ぐようになった。中学や高校には通えず、社会から隔絶されたまま息を潜めるように生きてきた。

成人するや否や、顔の整形手術と性別適合手術を受けた。医療機関から戻る道すがら、ふと思い立ってアパレル店に立ち寄り、自分へのご褒美に女性物のマントを買い求めた。そこで運命の出会いが待っていた。

レジで接客した男性店員と些細なきっかけから会話が弾み、連絡先を交換した。メールのやりとりを重ねるうち、いつしか互いに引かれ合っていた。思いは成就し、恋人同士と入れてくれた。

なった。この人とならと本気で思えた。彼もレイハネのセクシュアリティーを温かく受け入れてくれた。

ところが、事情を耳に挟んだ母親から猛反対され、彼も結局は押し切られた。すべてを委ねたはずの恋は、あっけなく終わった。それだけではなかった。性別は無事変更できたはずなのに、不用心に外を出歩けばたちまちモラル警察の標的になってしまう。最近も「男」が化粧をしているとの理由で拘束され、数週間刑事施設に収監された。

「ありのままの自分が認められた気がしたのも、ほんの少しの間だけだった」。どんなに耐えがたきを耐え、努力を重ねたとしても、当たり前の人生は夢物語のままだ。身も心もぼろぼろになったレイハネは生きる希望を失い、自殺未遂を繰り返していた。

一切の権利が認められない同性愛

グラスに浮かんだ氷を時折ストローでかき混ぜ、思い詰めた表情を崩さなかったレイハネが、かすかに頰を緩めた瞬間があった。女性としてのアイデンティティーが公に認定された身分証明書を披露した際のことだった。実はトランスジェンダーに「中東で最も開放的」（米メディア）な支援制度を備えているのが、政教一致のイスラム国家イランだ。

「医師の診断があれば、性別の変更がイスラムに反することはない」。きっかけは、初代最高指導者ホメイニが発出したファトワだった。１９８０年代半ば、国内のトランスジェンダーから心の性で生きることが許されるのか尋ねられ、聖職者として見解を表明した。ファトワを踏まえ、イランでは裁判所の許可を得れば、正当な権利として性別適合手術を受けることが可能になった。費用の一部は政府の補助金で賄われる。手術が完了すれば、変更後の性別で出生証明書を再取得することも法的に認められた。ＬＧＢＴがタブー視されるイスラム圏では、極めて異色だ。

イランの制度は、整備当時から30年以上を経た日本の現状と比較してみると、いかに進取の気性に富んでいたかが理解できる。日本政府はトランスジェンダーに対し、２００４年に性同一性障害特例法が施行されるまでは、戸籍の性別変更を認めていなかった。法施行後も性別変更には厳しいハードルが設けられ、「２人以上の医師による診断」「現在未婚」「性別適合手術の完了」といった要件をすべてクリアしなければならない。

ただ、いくらハード面で寛容な制度があろうと、人権意識というソフト面までを転換するのは一筋縄ではいかないようだ。イスラム圏のご多分に漏れず、イランではトランスジェンダーを含めたすべてのＬＧＢＴを拒絶する風潮が根強い。

おまけに、イランの法律は同性愛のゲイやレズビアンに対しては、一切の権利を許容していない。同性同士の情交が露見すれば、最悪の場合で死刑が科される。「本性がばれないように絶えず自分を偽り、仕事は10回以上転職した」。ＬＧＢＴの取材を進める過程で出会ったゲイ男性（36）からは、塗炭の苦しみを吐露された。

制度や社会のそこかしこに、構造的な差別意識が巣くっている。レイハネの軌跡は、イランのＬＧＢＴの中で決して極端ではないのだ。

トランスジェンダー俳優、「生きづらさ」を熱演

マイノリティーに対する世間の風は何かと冷たいが、現状に一石を投じるのが当事者の小さな勇気であることもまた世の常だ。白眼視される中、バッシングを承知の上で行動を始めたＬＧＢＴもいる。

「葛藤を感じながらも、ずっと舞台を演じるように生きてきた」。マニ・シャリフィアン（33）は体の性が男性、心の性が女性のトランスジェンダーだ。紆余曲折の半生を、いつも観衆の面前で自分ではない誰かの仮面をかぶっている役者に喩えてみせた。

物心ついてまもない５歳の時、性に違和感を抱き始めた。でも自らの正体は表に出すべきでないと、子どもながらに理解した。学校でも家族の前でも一切を胸にしまい、快活な男の子のふりをした。自我が確立した大学時代、無理がたたったのか心に変調をきたした。就職活動に身が入らず、卒業後も定職に就けなかった。

このままでは自己喪失に追い込まれてしまう。逡巡の末に意を決し、周囲にセクシュアリティーをカミングアウトした。事実を受け止めきれなかった母親は、体を触れるのも嫌悪するようになった。親しかった友人との縁は、ほぼすべてが断絶した。

自己肯定感が持てず、テヘランの実家に引きこもった。女性アーティストの曲の歌詞に共感しながら、かろうじて自分を保った。人目を忍んで専門医のカウンセリングに通い、容姿の変化が目立たない程度にホルモン療法を続けた。女性の格好で外に出掛けることは、望みながらもできなかった。経済的に自立できず、親のすねをかじるほかなかった。レイハネのように路頭をさまよい、生きるために体を売るLGBTの実例はよく耳にしたので、それでも恵まれている方だと受け止めていた。

転機は2017年に訪れた。「役者をやってみないか」。トランスジェンダーをテーマにした演劇で主役を演じてほしいと、自身も当事者だった演出家から拝み倒された。迷いに迷った揚げ句、思い切って引き受けることにした。

俳優としての芸名は戸籍名マニではなく、自意識になじむ女性名「マナ」に決めた。ためらいを押して顔にメークを施し、何度も共演者とリハーサルを重ねた。性のアイデンティティーに苦悩する主人公と一心同体になれた瞬間、初めて「仮面」を外して自然体になった気がした。

約1カ月間の公演は連日大入りとなった。拍手を送る観衆の中に、確執が続いていた母親の姿があった。以来、母親は自分なりにマニのセクシュアリティーを理解しようと努め、カウンセリングにも付き添うようになった。うそで塗り固めた日々を送った過去の副産物なのか、マニの演技力は演劇界で喝采を博した。新たに上演が決まった作品で、またトラ

トランスジェンダー俳優のマニ・シャリフィアン

ンスジェンダーの役をお願いしたいとのオファーが舞い込んだ。

生きづらさがまん延する現実も、恨んでばかりではいられない。LGBTの生身の姿が伝われば、世の中は少しばかり優しくなるかもしれない。そんな思いを胸に「女優マナ」は舞台に立つ。自分を見てくれている人々の心をわずかでも揺さぶりたいと、ハッピーエンドばかりではないストーリーを全身全霊で演じる。

国外亡命したジャーナリスト

群青色のボスポラス海峡に架かる橋からは、イスラム建築と西洋風建築が混ざり合う市街地が一望できた。バーやオープンカフェからは、真っ昼間からいい塩梅になった酔客の声も漏れてくる。東西文明の十字路と言われ、政教分離の世俗主義が徹底されてきたトルコは、イスラム圏で最もリベラルな国家の一つだ。2018年6月、大統領選取材のため出張した最大都市イスタンブールは、初夏の日差しの下で輝いて見えた。

薄着の女性観光客の中には、ペルシャ語を話すイラン人の姿も目につく。母国の街頭で同じ格好をしようものなら、瞬く間にモラル警察に組み敷かれているだろう。自由な社会に恋い焦がれるイランのリベラル層にとって、ここは日常のしがらみから解き放たれ、思いっきり羽を伸ばすことのできる格好の隣国だった。

そんなトルコの地を、断腸の思いで踏んだ同業者の存在を教えられた。国際ジャーナリスト組織「国境なき記者団」が公表した報道の自由度ランキング（2021年）では、イランは180カ国・地域のうち174位。テヘラン駐在の外国メディアの記者は政府の許可なく国内出張ができないが、地元メディアに対する報道規制となればまた次元が異なっている。取材テーマのみならず、記事の書きぶりや細かい表現にまで関係当局の睨みが利いていた。私はトルコ大統領選取材の合間を縫い、「反体制的」との烙印を押された亡命イラン人ジャーナリストの元を訪ねた。

「できるならば、祖国に帰りたい。でも、私の前にあったすべての道は閉ざされたの」。

イスタンブール随一の繁華街タクシム地区のカフェで、ソルマズ・エイクデル（35）のまなざしは悲哀の色を帯びていた。

いつかはジャーナリストになってイラン社会を良い方向に変えていきたいと、少女時代から夢に思い描いてきた。弱者の声に耳を傾ける姿勢を大切にし、人権や男女格差をテーマに取材のキャリアを重ねた。モチベーションと実力が認められ、晴れて指折りの改革派紙であるエテマドやシャルグで契約記者のポストを射止めた。

氏名がブラックリストに加えられたのは、2008年に執筆した1本の特集記事が引き金となった。1988年に起きた政治犯大量処刑から20年の節目に合わせ、内幕を深掘りした渾身の労作。国際人権団体アムネスティは、イラン各地の刑務所で当時約5000人が処刑されたと推計しているが、イラン指導部は事実関係を認めていない。

記事掲載後まもなく、イラン情報省職員に身柄を拘束され、「反体制的なプロパガンダ」の罪で有罪判決を受けた。釈放後も一時拘束や出頭要請が続き、満足な取材活動もままならなかった。ならば専門知識を深めようと米国留学を計画したが、出国間際に空港でパスポートを強制的に押収され、刑務所に再収監された。一旦は保釈を許可されたが、新たな罪に問われ、今度は禁錮3年半の実刑判決が下された。

ひとたび獄中生活が始まれば、もはや無事でいられるか心許なかった。既に出国禁止措置の対象となっていたが、身の安全を確保するには国外亡命しかない。危険を覚悟でトルコ国境に向かい、密航業者に手数料２０００ドル（約22万円）を支払った。人目を忍んで雪深い山岳地帯を歩き、警備当局の隙を突いて国境の壁を乗り越えた。家畜小屋で夜を明かし、路線バスを幾度も乗り継ぎ、何日もかけてイスタンブールに到達した。

出口のない自問自答

古びたアパートの一室に、紫煙がうっすらと漂っていた。ミラッド・ポウリサ（33）は中枢神経に障害を抱えた体をいたわるよう医師からくぎを刺されていたが、過去を振り返る際にはせわしなくタバコに手が伸びた。彼がトルコ西部エスキシェヒルで亡命生活を送るようになった理由は、報道内容というよりは世の中へのまなざしだった。

母国イランでは、腕一本で取材現場を渡り歩くフリーランス記者だった。思春期のころから正義感に燃える社会派で、文才と行動力に自信があった。刑務所で政治犯暴行疑惑が浮上した２０１４年、プライベートで真相究明を求める街頭デモに参加したのが徒（あだ）となった。現場で職務質問され、身柄を一時拘束された途端、それまで一緒に仕事をしてきた新聞各社はあっさりと手のひらを返した。契約は次々に解除され、新たな寄稿先を見つけようにも示し合わせたかのように門前払いばかり。次第に生活に窮するようになった。

権力は強くなれば強くなるほど、意向を忖度する作用が周囲に働きやすい。生殺与奪を握られたイランのメディア業界では、お上の機嫌を損ねるような振る舞いは控える傾向が顕著だった。いくら新進気鋭の現場記者であっても、いわくつきの人物はもはやいらないと見切りを付けられたらしい。「自分の存在を否定され、消し去られそうになった」

追い打ちをかけるように、司法当局は街頭デモ参加の事実を基にミラッドを在宅起訴した。禁錮６年３月の実刑判決は弁護人不在のまま確定し、後は囚人となるのを待つばかりの身となった。中枢神経の障害から足に力が入らず、歩くのが不自由だった彼は「もうこの国では生きていけない」と絶望した。長期の過酷な獄中生活を送ることも、ソルマズのように体力勝負の密航を図ることも、物理的に厳しかった。

そこで出たとこ勝負の大博打を打った。つてを頼ってリサーチしたところ、まだ出国禁止措置の対象者に加えられていない可能性が高かった。時間との勝負だと思い、すぐに空港へと急いだ。チェックインカウンターや保安検査場では生きた心地がしなかった。未執行の確定判決を受けながら逃亡を企てた事実が露見すれば、一巻の終わりだったからだ。

イスタンブール便の旅客機の座席シートに辛くも滑り込み、定刻通りに機体が滑走路を離陸した瞬間、緊張の糸が切れてどっと疲れが出た。刑務所での服役開始を命じる令状がテヘランの自宅に届いたのは、それから約半年後のことだった。

万策尽き果て、ほうほうの体でトルコに流れ着いたソルマズとミラッドは、それぞれ国連難民高等弁務官事務所（ＵＮＨＣＲ）から難民登録を受けた。人種や宗教、政治的意見を理由に迫害される恐れがあるため、母国から逃れた人々のことを、難民条約は「難民」と定義している。メディア規制でずたずたにされた運命が、まさにそれに当たると認定された。

ここで野垂れ死にしてなるものかと、彼らは外国系ペルシャ語ネットメディアのライターの職をどうにか見つけた。メディア業界の片隅でほそぼそと文筆活動を続けることができてはいたが、先のことは全く見通せなかった。不安定な立場の中、孤独感と望郷の念を持てあましながら、その日を凌ぐだけの生活をいたずらに過ごしていた。

今となっては昼夜を問わずニュースのネタを探し、取材現場を存分に駆け回ったあの日々は、そばにありながら存在に気付けなかった「幸せの青い鳥」だった。とはいえ、権力を恐れるあまりに自己保身に終始し、目の前の問題や自らの信念に背を向けることができただろうか。祖国での記者人生が潰えた彼らは、出口のない自問自答を繰り返している。

ノーベル平和賞活動家、不屈の精神

イラン人ではこれまで唯一のノーベル平和賞受賞者にインタビューできるチャンスに恵まれたのは、2018年3月だった。取材のために貸し切ったオフィスビルの会議室に、彼女はトレードマークのショートカットの髪を颯爽と揺らしながら現れた。

シリン・エバディ（70）はイランで知らない者はいない人権派弁護士だった。顔には年齢相応のしわが刻まれてはいるが、凛とした瞳は15年前の受賞当時から変わらない。落ち着いたトーンのペルシャ語はよどみなく、話すほどに情熱を帯びる。

ひょんなきっかけと縁が重なった取材だった。約3カ月前、共同通信の先輩である島崎淳ロンドン支局長（当時）がスウェーデンで、長崎出身の英国人作家カズオ・イシグロのノーベル文学賞受賞を取材していた。そこで偶然エバディを見掛け、彼女の平和賞決定時に横顔記事を執筆した経緯があったためピンと来た。声を掛けたところ、とんとん拍子にインタビューの快諾をもらった。イランと言えば、ということで私も誘っていただいた。

インタビューの場所はイラン国内ではなく、英国の首都ロンドンだった。エバディは自身が続けてきた弁護活動のゆえ、亡命生活を余儀なくされていたのだ。自伝では、過去に脅迫や投獄を経験したほか、暗殺の標的にされたとも明かしていた。

巨大な権力と正面から対峙するのは、危険や犠牲と隣り合わせでもある。いかにして長年の風雪に耐え、鋼のような精神を保つことができたのか。彼女に素朴な疑問をぶつけてみた。すぐにためらいのない言葉が返ってきた。

「大切なのは、自らが選んだ目標を信じ続けることよ。確かに苦難はあったけれど、私は決して後悔していない。あらゆるものに代償は存在する。自由や民主主義だって、実現には代償を伴うものでしょう」

声なき声を届けるために

「社会正義を実現できる仕事がしたい」。1947年にイラン西部ハマダンで産声を上げたエバディがそんな大志を抱いたのは、多感な少女時代だった。

勉学に励み、名門テヘラン大の法学部を卒業した。パーレビ王政期にイラン初の女性裁判官となり、エリートコースを歩む女性の草分け的存在になった。ところが、1979年のイラン革命でイスラム体制が成立すると、司法制度にシャリアが導入され、法の番人として拠り所にしてきた法律は一変した。女性の権利は大きく制限され、裁判官のポストは性別を理由に辞任を強いられた。

「悔しかった。でも『正義の追求には別の道もある』と自分に言い聞かせた」。同じく失意のどん底に沈んだ友人のキャリアウーマンは、一人また一人と国外亡命していく。エバディは母国のために汗をかくことにこだわった。子育てをしながら、雌伏の時を過ごした。女性に法律事務所の開業が許可され、弁護士に転身できたのは1992年だった。

法律家としての生きがいを、身分や立場が保障された強者ではなく社会的弱者のそばに立つことにこそ見いだした。自伝では弁護活動のスタンスが余すことなく語られている。

幼女が犠牲になった強姦殺人事件の法廷では、イスラム教の解釈を法源にしたシャリアを侮辱しないよう警告する裁判官を前に、女性に不利な法体系の不当性をひるむことなく訴えた。学生デモ弾圧のさなかに青年が変死した事件では、憔悴しきって事務所を訪ねてきた遺族の話に涙し、無報酬で依頼を引き受けた。投獄のリスクを承知の上で、真相究明の調査に乗り出した。

「民主主義と人権を守る努力を続けてきた。特に女性や子どもの権利のための闘いに全力を傾注した」。２００３年の授賞理由で、ノルウェーのノーベル賞委員会はこんな言葉とともに惜しみない賛辞を送った。

世界最高の栄誉とも言えるノーベル平和賞受賞で、エバディの一挙一動は国際社会の関心を集めた。それに比例するようにイランの関係当局は警戒心を高め、さらなる圧力をかけるようになった。エバディが率いてきた非政府組織（ＮＧＯ）の事務所は、家宅捜索を受けて閉鎖された。弁護士として仕事を続けること自体が、次第に難しくなった。

大統領選不正疑惑を発端に大規模デモが発生し、治安当局が武力弾圧に乗り出した２００９年、投獄のリスクは極限に達した。ちょうど国外出張中だったエバディは、そのまま亡命するよう仲間から強く進言された。当初は危険を押して帰国するつもりだったが、最終的には「私は人々の役に立てる場所にこそ身を置くべきだ」と思い直した。

祖国の土を踏むことは、もう二度と叶わなくなった。長年支えになってきた夫はエバディの身内であるため関係当局の策謀にはめられ、期せずして家族関係が破綻することになったという。エバディの弁護も引き受けたことのある女性弁護士ナスリン・ソトゥーデに至っては、国家の安全を脅かしたとして複数回拘束、収監された。同じく人権派の代表格で、志を共にした戦友だった。

彼らの苦労を思うたび、胸がえぐられた。でも人権を守ろうと心に決めた以上、覚悟はできていた。「権力はさまざまな手段で、不都合な者の口を封じようとするものなのよ」。亡命後も一人の人権活動家として、イラン国内の社会問題を対外発信した。関係当局がなおも繰り出す脅しと懐柔に、一歩も譲らなかった。世界各地の少数派迫害や女性の権利向上といったテーマにも進んで関わり、マルチに活動をこなした。

エバディのバイタリティーは古希を迎えても健在だった。私たちのインタビューを受ける前日、東南アジアのミャンマーから隣国に逃れたイスラム教徒少数民族ロヒンギャの難民キャンプ訪問を終えたばかりだった。そして翌日には、EU本部を擁するベルギーの政治都市ブリュッセルへの出張を予定していた。

「イランの人々の声なき声を世界中に届けることは、私の使命なの。どんなに弾圧を受けても、権力の思惑通りに沈黙することはない」。いばらの道を歩んでもなお、エバディは自らの正義を貫いていた。いくら時代が流れ、立場が変わろうとも、不屈の闘いに変節はなかった。

獄中の妻と、ひとりぼっちの娘

そのホームページには、時を追うごとに古い家族写真がアップロードされていた。ベビーベッドに横たわり、無垢な笑顔を浮かべる女の子の赤ちゃん。小さな体は大抵、傍らの両親に温かく見守られている。でもよちよち歩きのころ、彼女はひとりぼっちになる。優しそうな母は姿を消し、街角にスーツ姿で佇む父の表情は険しい。

ホームページのタイトルは「フリー・ナザニン（ナザニンを自由の身に）」。図らずも生き別れになった妻子と再会を果たすため、英ロンドンの男性がインターネットの請願サイト上で開設した。いつしか全世界で350万筆以上の署名を集めるほどの共感を呼び、英政府の外交を動かす端緒にもなった。

悪夢の幕開けは2016年4月。イラン出身の母が1歳の娘を連れ、ロンドンから生家に帰省した時だった。予定していた滞在期間を終え、帰国の途に就いたところ、母はテヘラン郊外のイマーム・ホメイニ国際空港で拘束された。娘はパスポートを押収され、自由な移動もままならなくなった。ホームページ上には父がその時々の胸の内を綴ったブログがアップされていた。行間の節々に、愛慕の情がぎっしりと詰まっていた。

〈あのひとときだけ、娘の父親でいることができた〉。一家離散から72日目。イランにあった母方の生家に身を寄せた娘は、2歳の誕生日を迎えた。父はケーキを手に思い出の公園に向かい、ビデオ電話アプリ「スカイプ」を起動した。液晶画面に現れた娘は、バースデーソングを歌ってあげるとくすくすと笑った。獄中の母とは回線がつながらなかった。

〈私たちが待っているように、彼女も耐えているのだ〉。３３６日目。母は刑務所内の医療機関に向かう道中、倒れ込んだ。両手の麻痺や頭痛、不眠症といったストレス症状が現れていた。月に1回、短時間許可された国際電話では、受話器から嗚咽（おえつ）が漏れていた。

日数を重ねるにつれ、ブログの更新頻度は少しずつ減っていく。そして１７２２日目。新型コロナの流行状況や、家族の近況が丁寧に報告されている中に、依然として変わらない一節があった。〈私たちは普通の暮らしを待ちわびている〉

２０１８年3月、ロンドン西部ノッティングヒル地区のカフェ。ラッシュアワーも一段落した夜、父リチャード・ラトクリフ（43）は取材に応じた。青い瞳と、無造作にかき上げた髪。飾り気のないダッフルコート。外見はまさしく、ありふれた英国人のパパだった。イランで「体制転覆を画策した」との罪に問われた妻ナザニン（39）は、禁錮5年の実刑判決が確定した。獄中生活も2年に差し掛かろうとしていた時期。「幼い娘を連れて帰郷した母親に、嫌疑をかけられるようなまねができただろうか。やましいことは一切ない」。リチャードは彼女の人柄を語り、身の潔白を訴えた。

ナザニンは人道支援に情熱を傾けてきた。3万人超が死亡した２００３年のイラン・バム地震の被災地で、日本の国際協力機構（ＪＩＣＡ）の通訳を担った。留学のため英国に渡航後は、慈善事業を手掛けるロイター通信の関連財団に勤めた。リチャードの一目惚れの恋は成就し、娘ガブリエラを授かった。ささやかではあるが、心が満たされた日々。空港ゲートでキスを交わし、妻子の後ろ姿を見送ったのが別れになるとは、思ってもみなかった。

何の前触れもない拘束の背後には、イラン国内の権力闘争があるのではないかとささやかれていた。結婚で英国籍も付与されたナザニンと同じように、イランと欧米の二重国籍者がスパイ罪などに問われる事件が当時相次いでいたからだ。国家権力機構を牛耳る保守強硬派は、欧米との外交対話に前向きな穏健派ロウハニ政権と政敵関係にあった。2国間関係に冷や水を浴びせる二重国籍者の拘束は、格好の妨害工作になりうる。

リチャード一家の存在にスポットライトが当たるまでには、紆余曲折があった。事実関係を知ったばかりの彼は身の回りのことが手に付かず、経理の仕事を数週間休職して自宅に閉じこもった。心配した親族や友人が、小さくてもできることから始めようと協力を申し出、知恵を出し合って開設したのがホームページだった。予算もマンパワーも限られてはいたが、事件の進捗状況をリポートしながら、英外務省や在英イラン大使館の前で小さなデモを催すようになった。

手作りのキャンペーンは日を追って賛同者が増え、やがてニュースでもクローズアップされるようになった。2017年11月、英議会でジョンソン外相（現首相）が根拠のないまま「ナザニンは記者教育をしていた」と発言し、それに乗じる形でイラン司法当局が彼女に新たな罪を着せようとする動きを見せたことで、政治・外交問題としても火が付いた。勤務先の財団は「彼女はメディア発展部門のマネジャーであって、記者でもなければ記者教育を行ってもいない」と全面否定し、野党は外相更迭を要求した。ジョンソンは発言を取り消して謝罪し、英政府の懸念を公式に伝達するためにイランを訪問した。

あふれる家族への思い

外交努力や国際世論が功を奏したのか、2019年10月にガブリエラはロンドンに帰ってくることができた。リチャードとは3年半ぶりの対面で、5歳の彼女は母国語の英語をすっかり忘れていた。ナザニンは拘束から5年が経過してもなお、獄中生活を続けた。それどころか、2021年4月には「反体制的なプロパガンダ」の罪で新たに禁錮1年の実刑判決を受け、刑期は加算された。

愛する家族と引き離されれば、一刻も早い再会を願うのが人の常に違いない。昼夜を分かたずキャンペーンに没頭してきたリチャードもこの間、淡い期待を抱いては裏切られての繰り返しだった。「もうずっと会えていないんだ。また一緒になれても、私たちは元のままではいられない」。日本が大好きなナザニンを東京五輪に連れて行く約束も、結局は気休めの空手形に終わった。

万能のヒーローになれなくても、せめて平凡な父親としての務めは果たしたい。この手でもう一度、みんなを抱き締めたい。彼の姿はホームページのブログそのままだった。インタビューを終えて別れる間際も、家族を思う言葉はとめどなくあふれた。

鳴かず飛ばずの地下ロックバンド

目当ての雑居ビルは、過密な都市空間が半ば無秩序に形成されてきたテヘラン市街地の一角に佇んでいた。夜のとばりが下りた周囲の路上に、人影や物音はない。

地下へと続く階段は街灯の明かりも届かず、一段と薄暗かった。足元に注意しながら一歩ずつ下り、折よく電子ロックが解錠された玄関に足を踏み入れる。奥にある二重の防音扉を開けた瞬間、疾走する音の渦が鼓膜に飛び込んできた。ダウンライトで照らされたフローリングの床に、エレキギターやドラムセット、オーディオアンプが並んでいる。

ここは、公には存在を知られていない、そして知られてはいけない地下音楽スタジオだった。いかにも怪しい郊外の倉庫群や廃屋ならいざ知らず、まさに灯台もと暗しなのかもしれない。外がしんと静まり返っていたことを踏まえれば、防音構造は完璧のようだ。

厳格なイスラム体制下、イランでは音楽にも検閲が徹底されてきた。ミュージシャンは「規範にそぐわない」とのレッテルを貼られてしまえば、活動自体が不許可となる。CDリリースやコンサートはもちろん、道端で楽器に触ることさえも許されない。したがって、演奏の腕を磨き、情報交換をするためには、こうした秘密基地のような場所に集うほかな

リハーサルを行う地下ロックバンド「ザ・マシーンズ」のメンバー

くなる。日陰でしか生きていくことのできない彼らにとっては、羽を休める止まり木のような存在だろうか。

2018年4月、スタジオには呼吸を合わせ、リハーサルに励む4人組の若者の姿があった。腕にいくつも彫られたタトゥーが、アウトサイダーな印象を醸し出す。結成7年を迎えるロックバンド「THE MACHINEZ（ザ・マシーンズ）」のメンバーだ。

「お上の締め付けはとにかく厳しい。アンダーグラウンドの世界といっても、ロックバンドがいくつも存在するわけじゃない」。本番さながらのテンションで立て続けに数曲をこなし、調子は上々といった顔でタバコをくゆらすと、リーダーのモハンマド・ギベケシュ（26）が口を開いた。スキンヘッドの額には、黒のサングラスが掛かっている。

関係当局からお墨付きが与えられてきたのは大抵、伝統楽器のサントゥールやセタールを用いるペルシャ音楽だった。近年になって、それに現代的な流行を取り入れたポップ音楽も徐々に市民権を得てきた。一方で、ロックやジャズ、ヒップホップといったジャンルは「反権力的」「西洋文化の象徴」とみなされ、依然としてご法度となっていた。

検閲では、楽曲の歌詞から曲調に至るまで、一切の仮借ないチェックを受けなければならない。基準をクリアできないミュージシャンにとっては、去るも地獄、残るも地獄の環境だ。実際、私が隣国トルコに出張した際には、母国イランでの音楽生活に見切りを付け、貧乏を覚悟で亡命したサックス奏者やギタリストに出会った。

カンヌ国際映画祭受賞作「ペルシャ猫を誰も知らない」（2009年）は、まさにテヘランに蠢く地下ロックバンドの物語を描いた。主人公の男女は投獄のリスクと隣り合わせで演奏の場を求めてさまよい、外国渡航を夢見て偽造パスポートを所望する。作品の脚本を共同執筆し、イラン政府の許可を得ずに撮影を行った名匠バフマン・ゴバディは直後に亡命し、お尋ね者となった。彼らの顚末が、イランの音楽シーンのありさまを端的に表している。

明日は明日の風が吹く

由緒正しいペルシャ音楽のミュージシャン一家に生まれたモハンマドが、ロックと出会ったのは多感な思春期だった。悪友がくれたCDの収録曲に、頭をがつんと殴られたような気がした。毎朝登校する際、バッグに携帯音楽プレーヤーを忍ばせた。「米国は敵」と教える学校で、先生に内緒で米ヘビーメタル界の重鎮「メタリカ」を繰り返し聴いた。

高校卒業後、グラフィックデザイナーの職に就きながら、腕の立つ仲間を探した。念願のザ・マシーンズを結成し、ベース兼ボーカルを担った。自分たちだからこそ生み出せるオリジナルの音楽性にこだわった。ロックと言えば英語が定番だった中、母国語で歌い上げる「ファルシ・ロック」（ペルシャ語ロック）という新境地を開いた。

聴き手の心を射抜きたいと、曲作りでは社会問題に正面から向き合った。代表曲「ネズミ」では、目まぐるしい近代化の陰で、知らず知らずのうちに人々の良心が失われているのではないかと問うた。半自伝的な力作「狂った家」では、思いのままに音楽活動ができず、世間からも白眼視される地下ミュージシャンの悲哀を赤裸々に綴った。

しかしながら、どんなに精魂を注いでも、ザ・マシーンズに音楽活動の許可は下りなかった。検閲の係官は歌詞の言い回しを14世紀の国民的詩人ハーフェズと比較し、首をかしげてみせた。CDが店頭に並んだためしはない。モハンマドは関係当局の目を盗みながら、地下ライブの会場確保のため路地裏を訪ね歩いた。音楽だけではとても食べていけず、メンバーそれぞれが別の仕事を続けながら時間をやりくりしてきた。

袋小路の音楽人生を歩むくらいなら、あの映画の登場人物のように新天地を外国に求めるオプションも考えられるのではないか。モハンマドは即座に否定した。「俺たちはイランが大好きだ。何かを変えたいのなら、ここでやらなきゃ意味がない」。検閲基準に迎合することなく、自分たちの音楽を認めさせてやるのだと熱く語った。

単に無鉄砲なわけではなく、幾分かの手ごたえは感じているようだった。ザ・マシーンズの作品はソーシャルメディアで拡散され、既存曲では飽き足らない一部の音楽オタクから評価を得ていた。口コミを通じてファンは約2000人に到達し、地下ライブの小さな会場はいつも満席となった。彼らのファルシ・ロックには確かに、巷にあふれる英語のロックにはない抑揚と味わいがあった。

「いつかきっと、イランで一番でっかいスタジアムのステージに立ってみせるさ。数万人の大観衆に最高のパフォーマンスを届けてやろうぜ」。鳴かず飛ばずではあっても、大きく夢を描いてはジョークを飛ばし合う。明日は明日の風が吹くと言わんばかりの彼らは、どこまでも天衣無縫だ。日の当たらない地下で激しいシャウトに身を委ねていると、胸の奥底にかすかな陶酔感が湧いてくる。

第5章 生死の現場を訪ねる

イラン・イラク国境地震の最大被災地サルポレザハブ（2017年11月13日）

人の本質は、体裁を装うことのできない修羅場でこそ滲み出る。その意味では時代の荒波に翻弄されてきたイランほど、人間という存在の正体を見つめることのできる国は数少ないのかもしれない。

核問題と米イラン対立は国際社会の焦点になったが、この国で起きていた出来事は決してそればかりではなかった。自然災害や無差別テロ、シリア内戦への戦力供給で、多くの人命が犠牲になっていた事実も忘れたくはない。

どれも悲しいニュースではあるが、取材で生死の現場に赴くと、そこで出会う人々の姿に心を揺さぶられた。最愛の人に思いを馳せ、明日に向かって生き抜こうとしていた彼らのエピソードを、大切な記録として残しておきたい。

イラン・イラク国境地震

「ああ、私の息子よ」。瓦礫の山を背に、全身を黒のチャドルで覆った年配の女性が泣き崩れていた。乾いた青空の下、砂煙を上げながら行方不明者の捜索活動が続く。

翌日付朝刊用に配信が予定されていた現場の緊急ルポは、締切時間が迫っていた。一刻も早く、到着したばかりの被災地で何が起きているかを取材し、原稿を仕立てて写真とともに東京にデータ送信しなければならない。分かってはいたが、救いのない現実に圧倒され、私は肩に掛けた一眼レフのレンズを彼女に向けることもできずにいた。

不意に地鳴りがし、はっとした。大地が震え始め、周囲の廃墟が不気味な音を立ててきしむ。「気をつけろ、余震だ」。悲鳴が上がり、着の身着のままの人々が逃げ惑った。

２０１７年11月12日午後9時48分、イラン西部ケルマンシャー州のイラク国境付近でマグニチュード7・3の巨大地震が発生した。犠牲者約６３０人、負傷者1万人超のほとんどがイラン側だった。3万棟超の建物が全壊し、5万世帯以上が長期の仮住まいを強いられた。その年で世界最悪の地震災害となったイラン・イラク国境地震だった。

日本の国土地理院が衛星データを基に解析したところ、地震は２０１１年の東日本大震災と同じく、断層が押し合う力で上下にずれる「逆断層型」とみられた。地盤は最大で約90センチも隆起し、広範囲の激しい揺れにつながった。刻一刻と判明する被害状況を徹夜で取材した上で、テヘランの自宅から最も早い航空便と車を乗り継いで被災地を目指した。

発生翌日の正午過ぎになって現場に入ると、変わり果てた街の景色が広がっていた。この界隈では一般的だった日干しれんが造りの住宅は、脆弱な耐震性が災いし、大半が跡形もなく潰れていた。コンクリート造りの中高層住宅群も骨組みだけを残し、崩れ去っていた。無機質な瓦礫の合間から、ペルシャじゅうたんや家電製品、ぬいぐるみといった生活の残滓がのぞいていた。

被災者の大半は、国民の6割を占める多数派ペルシャ人ではなく、1割の少数派クルド人だった。「国家を持たない最大の民族」と呼ばれる彼らは、イラン、イラク、シリア、トルコにまたがる地域に総人口2000万〜3000万人が暮らしているが、各地で迫害された歴史を持っている。約800万人のクルド系イラン人もまた、家畜放牧や肉体労働をなりわいにする低所得者が多かった。かねての生活苦に被災が追い打ちをかけるのは明白だった。

被災者から受けた敬意の抱擁

地震発生直後は連日、最新情報や被災者の様子を報じる続報記事が求められた。国境地帯の大半は、急峻な山あいにひなびた村落部が広がっていた。宿泊施設は見つからず、電気や水道も寸断していた。ライフラインが麻痺していなかった州都ケルマンシャーに寝場所だけは確保し、被災地に通い詰める日々が始まった。

震源から約50キロ南で人口約8万人の地方都市サルポレザハブに甚大な被害が生じていた事実は、発生翌日には明らかになっていた。辺境だからか、他の小さな村々は地元メディアの報道や当局発表でも被災程度が判然としない。時には地図と現在地を照らし合わせながら車を走らせ、手探りで様子を確認して回るほかなかった。

倒壊家屋の前で、涙で顔をくしゃくしゃにした男性が「助けられなくてごめん」と詫び続けていた。広場では頭に重傷を負った女性が顔をゆがめ、応急処置を受けていた。住まいを失った大勢の人々が途方に暮れていた。

この約1年7カ月前、東京本社の外信部にいた私は計約2週間、災害関連死を含め276人が犠牲になった熊本地震の現場取材に従事した。震度7を記録した本震の規模は、同じマグニチュード7・3だった。「助かるとうそを付いてごめんなさい」「これからのことはまだ何も考えきらん」。瓦礫のそばで、犠牲者の遺族たちが涙とともに語ってくれた言葉だ。かけがえのない家族や当たり前だと思っていた生活が、自然の猛威になすすべもなく奪い去られる。日本の被災地での記憶が、イラン・イラク国境地震で目にする光景と重なり合った。

ペンとメモ帳を手に取材を始めると、どこでもすぐに被災者に囲まれた。「食料も医薬品も何もかもが足りていない。お願いだから世界に伝えてくれ」「ここまでやって来てくれた外国メディアは、私たちの希望だよ」。絶体絶命の状況下で時間を割いてもらい、礼を言わなければならないのは私の方なのに、逆に感謝の言葉や敬意の抱擁を受けた。誰もが皆、被災地のありさまに光が当たるよう切望していた。

瓦礫に挟まれた家族の遺体

砂埃が舞う中、身を寄せ合う村人の嗚咽が響く。切り立った山の麓に約800人が暮らしていた国境のクイケセイフリ村は、まさしく壊滅状態だった。家屋の大半は潰れ、地震被災地の中でも住民の致死率は最悪だと聞いた。救助当局者に教わった未公表情報を手掛かりに、道に迷いながらも辿り着いたのは発生4日目だった。

見る影もなく破壊された4階建てアパートの前に、クルドの民族衣装をまとった人々が集っていた。まともな施設や物品が確保できない中で、犠牲者を精いっぱい送り出すための葬儀だった。晴れ渡った空の下、固い土の地面に敷物が申し訳程度に並べてあった。本来ならば目立つ位置に飾られているはずの遺影や花は、見当たらない。片隅に積もった灰は、コンロでなくたき火で紅茶を沸かした痕跡だった。

「一体何なの、この天災は。あなたの奥さんと息子はどこ。私たちのお母さんも死んじゃったじゃない」

「姉さん、どうか辛抱して」

現実を受け止めることができず、取り乱す肉親を、アリ・アフマディ（33）が慰めていた。まだ若いながらも、葬儀で喪主を務めていた。どこから調達したのか、フォーマルなワイシャツと折り目入りのスラックスで身なりを整えている。弔問客がやって来れば丁重に応対し、気丈に振る舞っていた。傍らには、生き残りながらも負傷し、手に分厚い包帯を巻いた老父が呆然と突っ立っていた。

アリは現場アパートの3階で妻ラヘレ（28）、息子パルサ（2）と暮らしていた。突き上げるような揺れに襲われたのは、夕食後に妻子を部屋に残し、ちょっとした買い物に出掛けていた時だった。きびすを返して駆け戻ると、アパートは瓦礫の山と化していた。

「ラヘレ！　パルサ！」。夢中で名前を呼んだが、返事は聞こえない。

救助隊員の姿は、発生2日目までは村内のどこにもなかった。被災地がへき地で広範囲だったがために、捜索活動を行うべき現場の把握に手間取り、初動対応が空転したからだ。救助当局の現地支部は普段から東京23区の1・5倍ものエリアをカバーし、無線機や衛星電話も配備されていなかった。通信手段が断絶した中、わずか約30人の担当者で対面のやりとりを重ねながら情報収集するほかなく、国内各支部から応援を大量投入するまでに約5時間の空白が生じていた。地震犠牲者の拡大を許した大きな要因だった。

他の多くの被災者と同じく、アリも生き埋めになった家族の救出活動を自力で行うことを余儀なくされた。停電で真っ暗闇の中、力を振り絞り、瓦礫を素手でかき分け続けた。ついに合間から、パルサをしっかりと抱きかかえたラヘレが見えた。2人とも既に事切れていた。「アパート崩落の瞬間、身を挺して息子を守ろうとしたのか」。情に厚く、いつも気配りを欠かさなかった彼女の姿が、頭をよぎった。

妻子の遺体は巨大な瓦礫に挟まれており、どうやってもそれ以上動かすことができなかった。長い夜が終わり、重機が到着する翌朝まで、そばで泣き明かした。アパートの隣室に住んでいた実母ハトン（55）も、落下してきた天井が頭を直撃し、命を落としていた。あっという間の出来事で、当時近くにいた父にも助けようがなかった。

「家族は私の希望のすべてだった」

冷たくなった家族3人の体は傷だらけで、血に染まっていた。揺れで水道網が破壊されていたため、遺体を埋葬する際に清めてやることもできなかった。葬儀は最低限の体裁を整えることができず、聖典コーランの朗読も頼めなかった。敬虔なイスラム教徒のアリは、最期にきちんとした形で真心を示してあげられなかったことが不憫に思えてならない。

スマートフォンの写真アルバムには無数の思い出が詰まっていた。公園でピクニックをした日、ラヘレがアリに肩を抱かれ、くつろいだ表情を浮かべている。リビングでパルサが小さな体をソファに横たえ、愛嬌を振りまいている。これからも、貯金をはたいて買ったばかりの愛車で2人をいろんな場所に連れ出すはずだった。パルサがよく遊んでいたおもちゃは、瓦礫の下から見つかった。

「家族は私の希望のすべてだった」。まともに雨露をしのげる建物もない中、現場アパートそばに張った薄手のテントで仮住まいを始めたアリ。凍える寒さで眠れない夜、ラヘレとパルサを抱き締めた時のにおいを思い出す。

私がクイケセイフリを再訪できたのは、葬儀から約3週間後だった。モノクロの廃墟の合間を歩き回っていたところ、倒壊家屋そばに設置されたテントの前で、ようやく届くよ

地震で父を失った少女チェナール（左）

うになった支援物資のパンを運んでいる少女に出会った。名前はチェナールだと教わった。

小学校中学年くらいだろうか。乳歯が抜け、永久歯はまだ生え揃っていなかった。無邪気な笑顔がとても印象的だ。年下の幼女を抱き上げ、一緒にはしゃぐ表情は屈託ない。依然として復興の足音が遠い被災地の景色を見続けてきた中で、少しばかりではあるが慰められる思いがした。直後、テントでチェナールとともに仮住まいを続ける叔父に、こう打ち明けられた。

「あの子は地震でお父さんを亡くしてしまってね。今も毎晩のように悪夢にうなされていて、叫び声とともに目を覚ますんだ」

揺れのさなかに生まれた命

元気な赤ちゃんの泣き声が響いていると、どこか殺風景な病棟の廊下も不思議と華やいで見えた。それにしてもこんなちっちゃな体のどこから、と驚嘆するほどのボリュームだ。あたしは今この瞬間を全力で生きているんだよと言わんばかりに、生後5日目の女の子は顔中のあらゆる筋肉を駆使し、腹の底から音のうねりを発していた。

地震発生から5日目。イラン西部ケルマンシャーの総合病院は、普段ならばあまり目にしないような重傷患者の姿が際立っていた。約120キロ西の最大被災地サルポレザハブ一帯は、医療インフラが機能不全になっていたからだ。応急処置では危ういと診断されてやって来た被災者で病床は埋まり、医師や看護師もフル稼働の様子だった。

柔らかなタオルケットにくるまれた赤ちゃんは、約2年前に結婚したカップルの待望の第1子だった。父ベフロズ・モタイ（31）と母ネダ（21）は愛おしそうに泣き顔を見つめ、目の中に入れても痛くないという様子だ。授けた名前は、価値があるとの意味を含んだアラビア語「モハンナ」。ともに極限状況を生き抜き、こんな万感の思いを込めていた。「君の命にはかけがえのない意味がある」

モハンナが産声を上げたのは、地震発生時刻のわずか18分前だった。

彼らはサルポレザハブ中心部にある病院の手術室にいた。ネダの帝王切開手術はまだすべての工程が完了していなかった。医師が出産直後の母子の容体に異常がないかチェックしているさなか、激しい縦揺れが襲ってきた。

天井灯ははずみで落下し、手術室の床に鋭利な破片となって砕け散った。病院全体が停電で真っ暗になり、他の患者の叫び声が聞こえた。手術台に横たわっていたネダは麻酔から目覚めておらず、身動きが取れなかった。本来であれば大事を取らなければならない時間帯、無防備な姿勢のまま床に転落すれば、生死に直結する恐れがあった。

足元がおぼつかない中、ベフロズは手術台に駆け寄り、バランスを失いそうになっていたネダの体を必死で支えた。一緒に付き添っていた祖母も、とっさに機転を利かせた。生まれたてのモハンナに上から覆いかぶさり、身を挺して守った。

揺れが収まっても、事態は急を要した。病院は産後ケアを提供できなくなった上、ところどころで壁や天井が崩落し、いつ倒壊してもおかしくはなかった。自分ではどうしようもないネダとモハンナを手術室から連れ出し、安全な場所に避難しなければならない。医師が手術で積み残した行程をこなすのを待ち、ベフロズが先導役となった。携帯電話の明かりを頼りに暗闇の中を急ぎ、壊れて動かなくなったドアは蹴破った。

「赤ちゃんは無事？」。余震が続いていた病院の玄関先で、麻酔から目が覚めたネダは真っ先に尋ね、涙ぐんだ。精神的なショックが原因なのだろう、母乳は出なかった。まともな防寒具も食べ物もないまま、夜の寒気に凍えるモハンナの栄養状態が心配だった。

「何としても粉ミルクを手に入れなければ、この子の命が危ない」。死傷者があふれ、混乱の渦中にあった市街地を、ベフロズは駆け回った。商店や薬局を一軒一軒訪ねたが、どこものんきに商売を続けてはいない。やはり駄目かと思いかけた時、深夜営業の気配のある店舗を見つけた。店内に駆け込むと、事情を理解した店主は快く無償で譲ってくれた。

幸か不幸か、出産のため留守にしていた自宅は全壊していた。ベフロズの職場だった農機具店も損壊状況がひどく、早期の仕事復帰はおろか、避難場所として利用するのも困難だった。身を寄せる当てはなく、一家で車中泊を続けるほかなかった。

ネダは少しずつ症状が改善し、授乳もできるようになった。衛生状態が劣悪な被災地で、モハンナの容体だけが最後の気掛かりだった。はやる気持ちを抑えてケルマンシャーの総合病院まで足を運び、望外の診察結果を告げられたところだった。

被災の痛手は大きく、先は見通せないが、何も難しく考えることなんてない。「娘がいるだけで奇跡なんだ」。命をつなぎとめたモハンナが、そばで笑ってくれてさえいればそれでいい。この世界に自分が存在する価値を胸に刻み、ふるさとの復興とともに一歩一歩成長してほしいと願いを託す。

「パパ、ここにいるよ」奇跡の生還

小さめの医療用ベッドが並ぶ病室に、晩秋の日の光が差し込んでいた。イラン西部ケルマンシャーの総合病院小児科では、パジャマ姿の児童がそれぞれの母親に寄り添われ、入院生活を送っていた。痛々しい傷痕は、４日前の地震で被災した際にできたものだ。

包帯やテープで頭部を幾重にも巻かれ、ベッドに身を沈めるパルサ・ベイシ（9）は小学3年生の少年だった。最近夢中になっていた遊びは自転車で、憧れの仕事は警察官。枕元にはおもちゃのパトカーが置かれている。

「頭部全体の裂傷と鼻骨の骨折。口唇は裂け、搬送されてきた時は垂れ下がった状態でした」。パルサが負った瀕死の重傷を、担当の女性看護師は解説した。その名残なのだろう、唇は赤黒く腫れ上がり、顎にかけていくつも出血痕が残っている。緊急の形成手術を受けたばかりで、まだ口を動かすことができなかった。

おてんばだがしっかり者だった小学1年の妹マニサ（7）は、地震で帰らぬ人となっていた。ベッド脇の母ミナ（36）がその話題に触れた時だった。パルサは言葉を発せないまま、大きく見開いた目から涙をこぼした。最期の瞬間、彼らは瓦礫の下で一緒だったのだ。

一家は震源付近のタパニ村で暮らしていた。自宅で和やかな食卓を囲んでいた時、地震は起きた。とっさに我が子をかばおうとしたミナは左腕にパルサ、右腕にマニサを抱いた状態で、崩落した天井の下敷きになった。顔を強く打ったパルサは意識を失った。打ちどころが悪かったマニサは、何度呼び掛けても反応がなかった。

ミナ自身も負傷し、身動きが取れずにいると、やがてガス漏れが火災を誘発した。炎がじわじわと迫り、呼吸が苦しくなっていく。体から力が抜け、助けを求めて声を上げることもできない。地震発生から約30分後、死を覚悟したころだった。

「パパ、ここにいるよ。助けて」。突然、パルサが意識を取り戻した。どこにそんな気力がと思うほどの大声で、外出中だった父親を呼び始めた。確たる当てがあったわけではなかった。傷だらけの口は、開くだけでも激痛を伴うはずだった。みんなで生き延びなければと、わずかな可能性を信じて必死で叫び続けていたのだろう。

「そこにいるのか」。外出先から戻った父親が、パルサの声に気付いた。親戚の助けを借り、積み重なっていた瓦礫を一つ一つ取り除いた。パルサとミナが救い出されたのは、地震発生の約3時間後。火災の延焼で、自宅跡は既に約半分が焼失していた。残念ながら、マニサは既に手遅れとなっていた。村内では計15人前後が犠牲になった。

小さな体に秘められた力

パルサの隣のベッドでは、体に点滴のチューブをつながれた小学4年の少女ハニエ・イスマイリ（10）が泣きじゃくっていた。症状は右腕と右足の複雑骨折。緊急手術は無事に完了していたが、連日の投薬で副作用が生じているようだ。お気に入りの人形をあてがわれても、苦しそうな表情は消えない。数カ月先には次の大手術も控えていた。

「もう娘は駄目かと、何度も思ったわ」。付きっきりで看病してきた母アリエ（42）が振り返る。一家は最大被災地サルポレザハブの中でも、特に損壊状況の激しかった公営住宅の最上階7階で暮らしていた。地震当時、建物の外壁は揺れではがれ落ち、ハニエは吹き抜け状態となった部屋から外の空中へと投げ出された。数十メートル下の地面まで落下し、直後に上から降ってきたコンクリートやガラスの破片の下敷きになった。

停電で真っ暗闇となった中、アリエは親族とともに携帯電話画面のわずかな光をかざしてハニエを捜した。約40分が経過した後も、居場所は遅々としてつかめなかった。絶望しかけていたところ、耳慣れた叫び声が聞こえた。瓦礫の隙間から鼻と口がのぞいていた。全身血まみれではあったが、なんとハニエは生存していた。落下途中で体が何かに引っ掛かって減速し、衝撃が和らいだのかもしれない。運も味方したのだろうが、よくも生き埋めになりながら諦めなかったものだ。

かろうじて救助はできたものの、瀕死の状態なのは明白だった。一刻も早い救命医療が必要だったが、現場一帯は死傷者であふれ、救急車での搬送は望むべくもない。アリエは運を天に任せて車のハンドルを握り、約１２０キロ東のケルマンシャーを目指した。

案の定、道中の幹線道路は山崩れで寸断していた。復旧作業を待っている間、ハニエの意識は少しずつ遠のき、焦りばかりが募った。「命が危なくなるから、絶対に眠らないで」。絶えず大声で励まし、何度も頬をはたいた。ようやく総合病院に駆け込めたのは、一夜が明けた朝。献身的な処置の甲斐あって、病状は峠を越えた。

「奇跡が起きたのは、この子たちの頑張りのたまもの」。パルサとハニエの小さな体に秘められた底力は、実の母親や医療のエキスパートをもってしても、にわかに信じ難いほどだった。

しかしながら、彼らの前途は多難と言うほかなかった。家族や日常を奪われた心の傷は深く、精神科医のカウンセリングでも治癒は難しそうだった。長期入院の予定が組まれてはいたが、元通りの体になるかは心許なかった。いつかはもう泣かなくてもいい日が訪れることを、大人たちは祈るばかりだった。

被災地で最後の救出劇

「めまいが治らないの」。薄手のテントの中、か細い声が漏れた。冬将軍の到来で外気はぐんと冷たくなり、そばの地肌を木枯らしが吹き抜けていく。妊娠3カ月のファラナク・カラミ（23）の顔色はすぐれなかった。

2017年12月上旬、地震発生から約3週間が経過した最大被災地サルポレザハブ。被災者がその日暮らしを続ける街頭に、生活再建の兆しは薄かった。倒壊家屋の撤去は一向にはかどらず、瓦礫の合間に仮住まいのテントが並んでいた。

ファラナクは重度の心的外傷後ストレス障害（PTSD）に苛まれていた。倒壊した自

更地となった自宅の跡地に立つパヤム、ファラナク夫妻

宅で生き埋めになった被災当時の記憶が、毎晩悪夢となって蘇った。屋根のある建物には恐怖で足を踏み入れることができなかった。栄養バランスの取れた食事が望めず、口にするのは非常食の缶詰ばかりだった。医師の定期受診が欠かせず、新たに血圧低下などの症状が現れたことから、前日に注射を受けたところだった。

心身に傷を負わなかった夫パヤム（24）も、内心では焦燥感を募らせていた。低迷する被災地経済の中、定職を得ることのできる高度技能や人脈は持ち合わせていなかった。唯一の収入源は日当約100万リアル（約3200円）の瓦礫撤去だったが、仕事にあぶれる日が続いていた。貯蓄はとうに底を突き、自宅の再建は絶望的だった。

それでも、ファラナクの前では努めて明るく振る舞っていた。「心配しないで。きっと何とかしてみせるから」と励ましていた。若くて頼りないところもあるかもしれないが、ここぞという時には人生の伴侶となった彼女のヒーローでいたかった。あの日がまさにそうだったように。

11月12日午後9時48分。2階建てコンクリート造りの自宅は激震に揺さぶられ、崩落した。ファラナクの第1子懐妊が分かり、幸せをかみしめていたさなかだった。

自宅1階にいたファラナクは頭上から降ってきた瓦礫で生き埋めになった。後頭部を打ち、両足を挟まれた。暗闇の中、わずかな隙間のおかげで呼吸はできたが、身動きができなかった。

外出先から飛んで帰ってきたパヤムが自分を呼んでいるのが聞こえた。瓦礫の下で声を振り絞っても、返事は届かなかった。左手で守るおなかの命には「絶対に生き抜こうね」と語り掛けたが、時間は刻々と経過していく。全身の震えが止まらなくなった。

翌13日午前3時半ごろ、現場に到着した救助隊はファラナクの捜索活動に着手した。瓦礫の量は多く、人力では思い通りに撤去が進まなかった。人のにおいを嗅ぎ分ける災害救助犬も、目立った反応を見せなかった。周囲の全壊家屋から続々と遺体が出てきた。朝を迎えた午前7時半ごろ、救助隊は生存が絶望的だと判断し、重機を操縦してひと思いに瓦礫を一掃しようとした。

「エンジンを止めろ」。生存を信じたパヤムは、重機の前に体を投げ打って救助隊の作業を断念させた。ひとたび機械を入れてしまえば、助かるはずの命が助からなくなると考えたからだった。再び素手で瓦礫を一つ一つ除去し、名前を呼び続けた。「私はここよ」。やがて、かすかな声が聞こえてきた。「やはり生きていた。もう大丈夫だ」。安全を確保した上で、ファラナクの手をしっかりと握り、外へと引っ張り上げた。

救助の時刻は、地震発生から約15時間が過ぎた午後1時ごろ。現場からはそのままヘリで病院に救急搬送された。かなり衰弱してはいたが、幸いにも目立った外傷はなかった。被災地全体で最後の救出劇となった。

奇跡のような出産

電子メールの添付写真には、愛くるしい赤ちゃんの寝姿が写っていた。そばにパヤムとファラナクが寄り添っているカットも含まれている。かじかむ冬から季節は巡り、暑気に汗ばむ夏が到来していた２０１８年7月。被災地から久しぶりの近況報告が届いた。

自然災害の常なのだろう、被災生活は一難去ってまた一難のようだった。テントから建設型仮設住宅に移り住めたかと思えば、室内にはエアコンもトイレもなく、ストレスは相変わらずだった。瓦礫撤去作業の需要が無くなったため、パヤムは日当5ドル（約５５０円）の肉体労働の仕事しか見つけることができず、家計のやりくりにも事欠いていた。

「瓦礫の下で私の胎内にいた娘を、この腕で抱くことができた。奇跡が起きているように感じ、思わず泣いてしまいました」。重いPTSDとの付き合いが続いていたファラナクは、出産を無事に迎えた喜びを綴っていた。母体の健康が安定せず、胎内環境に気をもんだが、経過は思いのほか順調だった。被災者のつらさを雨のごとく洗い流してほしいとの願いを込め、赤ちゃんには「雨のような存在」を意味するバラナと命名した。

初々しさがいっぱいに漂っている家族写真を、改めてじっくりと眺めてみた。苦労の多い運命には違いないが、「パパ」も「ママ」も実にいい表情をしている。

当たり前なのかもしれない。一人じゃ耐えられないような絶望も、胸が震えるような感動も、家族だからこそみんなで分かち合うことができるのだ。復興に向けた彼らの手探りに、心からのエールを送った。

テヘラン同時テロ

2017年6月のテヘラン同時テロは、驚天動地の大事件としてイラン現代史に刻まれることになった。過激派組織ISが犯行時刻をぴったりと合わせ、立法府である国会、イスラム革命体制のシンボルともなってきたホメイニ廟を奇襲攻撃した。現場で無差別に銃を乱射し、計17人が死亡、50人超が負傷する惨事となった。

紛争やテロが絶えない中東にありながら、地域大国イランでは関係当局の強権の下、一定の治安が保たれてきた。にもかかわらず、「金城湯池（きんじょうとうち）」であるはずの国家的施設で残虐行為は起きた。事件の経過について、取材で接触できた当事者の証言を元に再現してみたい。

審議が進行中だった国会敷地内に最初の銃声が響いたのは、午前10時半ごろだった。ＩＳ戦闘員３人はいとも簡単に警備をすり抜けると、議員会館１階で手当たり次第に人を撃ち始めた。駆け付けた治安当局者と激しい銃撃戦を演じながら、少しずつ上階へと移動した。隣接する議事堂に踏み込めば大勢の国会議員を襲撃できていたことを考えれば、いかにすればイランの威信をずたずたにできるか、周到に練られた計画ではなかったのかもしれない。悲鳴が飛び交うフロアに、いくつもの血だまりができた。

議員会館５階の柱の陰では、男性秘書アミール（37）が息を潜めて隠れていた。午後１時半ごろに姿を見せたＩＳ戦闘員が交わしていた言葉は、ペルシャ語ではなくアラビア語だった。あえなく見つかってしまい、銃口の向こうから「床を這ってここまで来い」と要求された。人質に利用するつもりなのは明らかだった。ガラスの破片で肌を切りながらほふく前進する間、３歳の愛息の顔が頭をよぎった。「もう二度と会えなくなるのか」

そこに割って入ったのが治安当局者のチームだった。不意打ちで機先を制され、仲間の命を奪われたが、他のチームとの連携プレーの末に５階部分を封鎖するところまで巻き返した。息もつかせぬ実弾の応酬の中、ＩＳ戦闘員２人の急所を撃ち抜いた。最後の１人は自爆ベストを身に付けたまま突進してきたが、折良く銃弾が命中したため自滅した。

イラン革命の指導者ホメイニが眠る郊外の聖廟を急襲した別のIS戦闘員2人は、既に治安当局者に追い詰められ、絶命していた。国会で不審物の捜索が終了し、安全が確認されたのは午後4時ごろ。アミールは治安当局者に救出され、病院で傷口の手当てを受けた。帰宅した夜、小さな息子の体を抱き締めてようやく、安堵の思いが込み上げた。自身は間一髪で助かったが、親しい友人は犠牲になった。「何の罪もない人々なのに、どうして残酷に殺すことができるのか」


「多神論者のシーア派を死傷させた」。高らかに犯行声明を出したISは、なぜイランを狙ったのか。かねて欧州やアジアの大都市でもテロを起こし、ジャーナリスト後藤健二ら2人の殺害声明を出した2015年の邦人人質事件では私たち日本人に衝撃を与えた。組織の栄枯盛衰をたどると、テヘラン同時テロには他とは異なる動機が見え隠れする。

スンニ派の過激思想を持つISは、2001年の米中枢同時テロを実行した国際テロ組織アルカイダを源流に持つ。シリア内戦で権力の空白に乗じて台頭し、2014年6月にイラク第2の都市モスルを電撃的に制圧した。指導者アブバクル・バグダディはカリフ(預言者ムハンマドの後継者)を名乗り、政教一致国家の樹立を一方的に宣言した。シリアとイラクにまたがる広大な地域を「領土」として支配し、8万人超もの戦闘員を抱えた。

イランの国教でもあるシーア派を異端視し、支配地一帯で信徒を標的にテロや襲撃を繰り返した。

シリアで守勢だったアサド政権が息を吹き返したのは、2015年9月のロシアの軍事介入に加え、盟友イランの徹底した軍事支援が大きかった。イラクのIS掃討作戦で活躍したシーア派民兵組織PMFは、イランの強い影響下にあった。2017～19年、ISはみるみる凋落していった。首都と称したシリア北部ラッカや重要拠点モスルを奪還され、シリアとイラクのほぼ全地域を失った。バグダディは米軍の特殊作戦で追い詰められた末、自爆死した。この間、イランが発揮した存在感は計り知れない。

一連の戦況がテヘラン同時テロの背景になっていたことは腑に落ちたが、事件の捜査が進むにつれ、大きな謎が浮上した。犯行グループはすべてイラン出身のISメンバーだったと断定されたのだ。スンニ派の中でも極端なイデオロギーが、水と油のように相容れないはずのシーア派国家イランに浸透していたとすれば、不気味なパラドックスと言えた。

イラン社会の底流に巣くう過激思想

実行犯5人はラッカやモスルで軍事作戦に従事した経歴さえ持っていた。事件現場への輸送や武器調達を担った後方支援役は少なくとも8人いたが、漏れなくイラン人のIS構成員だった。捜査当局はそれ以上の事実関係を公表せず、国内主要メディアも掘り下げた報道をしなかった。独立系メディアは断片的で根拠不明ながら、彼らがスンニ派のアラブ系イラン人だったとの情報を伝えた。現場でアラビア語を話していたとの秘書アミールの証言とも符合する。マイノリティーであるがゆえの閉塞感がＩＳに共鳴する土壌になったとの仮説にはそれなりの説得力があったが、結局のところ真相は闇の中だ。

実行犯5人が現場で全員死亡し、後方支援役も非公開の法廷で死刑判決が確定した中、事件発生1年の節目は手掛かりをつかむ最後のチャンスかもしれなかった。私は追悼式典の会場に足を運んだが、祈りの詩が朗読され、参列した国会議員や国会職員らがひとしきり犠牲者を偲ぶと、早々にお開きになった。

式典会場の片隅に、控えめながら遺族が佇んでいた。やつれた表情をした母親の傍らに思春期の娘、そして小学校低学年くらいの息子がいた。彼は自分とツーショットに納まる父親の遺影に、右手の指を添えていた。政治の世界で骨身を惜しまず働き、きっと自慢のパパだったに違いない。

彼らはたぶん、いつまでも父の死の意味を知ることができないだろう。悲劇を繰り返さないための教訓も見つかりそうにない。史上最悪のテロが白日の下にさらしたのは、イラン社会の底流に得体の知れない過激思想が巣くっていたという現実だけだった。

戦地シリアに向かうアフガン難民兵

とあるアフガニスタン難民一家が、テヘランの南隣レイ市で慎ましく暮らしていた。異国生活は苦労も多かったが、5人の子宝にも恵まれ幸せだった。「シリアの聖廟に巡礼に行ってくる。1カ月ほどで戻るよ」。いつもと変わらない様子でそう告げると、ペルシャじゅうたん修繕の職人だった大黒柱モハンマドダブド＝当時（38）＝は旅立った。

彼の背中を、妻シリン・アリザデ（39）は何の気なしに見送った。大人もいれば幼児もいる7人家族を支えるのは並大抵ではない。家事や子育てに忙殺され、一日一日を何とかやり過ごすだけで精いっぱいだった。遠い世界で何が起きているかなんて、たいした知識も持ち合わせていなかったし、進んで知ろうという気にもならなかった。

それから1カ月が過ぎ、やがて2カ月を迎えた。待てど暮らせど、彼は帰ってこない。そして約3カ月後。悲報は突然届き、無言の帰国を果たした。シリンはショックのあまり意識を失い、病院に搬送された。対面した遺体には深い傷痕が刻まれていた。シリア内戦が激しさを増していた2014年4月、彼は戦死していた。

イランは世界最大級の難民受け入れ国で、そのほぼすべてが隣国アフガニスタンの出身者だ。未登録者も含めると、実に約250万人が暮らしていた。祖国は1979年の旧ソ連軍事介入が引き金となり、長年にわたり内戦状態が続いてきた。幼いころにそれぞれの親に手を引かれ、命からがら逃れてきたシリンと夫も典型的なアフガン難民だった。

イランがアフガン難民の一部を「義勇兵」としてシリアに送り込んでいた事実は、当時は表沙汰になっていなかった。私が何となく気付いたのは、シリア内戦が6年目に入った2016年8月。現地におけるイラン関連部隊の戦死者はイラン人とアフガン人が半々だったと、地元通信社の短信が淡々と伝えていた。「アフガン人」の定義は詳述されていないが、十中八九は難民だろう。どうして祖国でもないイランの国益のために、命を賭けて戦地に向かわなければならなかったのか。疑問に思い、少しずつ取材を始めた。

アフガンは民族や言語が混ざり合う「モザイク国家」だ。パシュトゥン人が中心、信仰はスンニ派が8割超を占める中、イランに逃れた難民の大半はシーア派の少数民族ハザラ人だった。彼らの信心に訴えかけるように、義勇兵を募る際には「シリアのシーア派聖地をスンニ派ISの残虐行為から守り抜こう」と宣伝されていた。ただリクルート市場の内情は、シーア派国家イランが謳う宗教的大義ばかりではないようだった。

ひとたび義勇兵になれば、手厚い経済支援が約束される。格差社会の最底辺であえぐ難民の中には、生命のリスクと天秤に掛けてもなお魅力的に感じる者もいただろう。実際、狭いアパート一室で同胞約10人と共同生活を送り、日雇いのペンキ塗りの仕事にあぶれていた男性(32)は「難民の居住地区で定期的に勧誘ビラがばらまかれている」と明かし、迷いを見せていた。現実に従軍したものの、敵の攻撃を受けて身体障害を抱えることになった青年は「貧しさに耐えかねたからだ」と志願理由を語った。

「殉教」という言葉に潜むもの

夫の戦死でシングルマザーとなったシリンに私が接触できたのは、2016年10月になってだった。死別後の約2年半で、一家の暮らし向きには大きな変化が訪れていた。

イラン政府からは毎月、潤沢な遺族補償金が支給されるようになった。医療費や高等教育費は支払う必要がなくなった。子どもの進学や就職に際しては、学校や職場での特待枠が保証された。マイホームを購入したいと思えば、別途補助を受けることもできた。

手厚い補償は、夫が信仰のために命を捧げた「殉教者」と認定されたからだった。彼は内戦下のシリアに渡航後、アフガン人部隊「ファテミユン旅団」で小部隊の指揮官を任されていたという。旅団は、軍事顧問として公式に派遣されていたイラン革命防衛隊の影響下で戦闘に従事していた。現地におけるイランの「代理勢力」の一つと指摘されていた。

夫の部隊は究極の目的として、預言者ムハンマドの孫娘ゼイナブの聖廟を保護する任務を掲げていたらしい。シリアの首都ダマスカス郊外に立地し、シーア派信徒では知らぬ者のいない聖地だ。現場一帯ではISがテロや襲撃を繰り返していた。具体的にどんな行動をしていたか、なぜ戦死したのか、シリンはそれ以上の情報を知らされていない。アサド政権軍の戦車の上に迷彩服姿で立つ写真が、戦地生活を忍ばせる遺影となった。

敬虔なシーア派家族だったからこそ、シリンは夫が他の少なからぬ難民のように、経済的理由でシリアに向かった可能性を否定した。「彼は信仰心が強かったの。きっとアラー（神）に選ばれたんだわ」といたわってみせた。

ただ、たとえ純粋な宗教的動機がすべてだったとしても、弱い立場に置かれた難民が「捨て石」として命を投げ打った構図が変わるわけではない。「殉教」という言葉の響きは甘美ではあるが、結局のところ実態は「戦死」に他ならない。

残された遺族の悲しみが消えることもないのだろう。シリンは毎晩必ず、生前の夫の面影が夢に出てくるとも語った。彼女の話に耳を傾けているさなか、紅茶の湯気の向こうで不意に嗚咽が響いた。こらえ切れなくなった思春期の娘（16）が、涙で目を腫らしていた。

「英雄の国葬」で父は慟哭した

「殉教」のシンボルカラーである緑色のひつぎが、最高権威の一つとされるシーア派聖廟へと担ぎ込まれる。秋晴れの空の下、集った大群衆は1000人近くはいるだろうか。両手のひらを天に向けると、一斉に祈りを捧げた。

ひつぎは全部で5基あった。中にはアフガニスタン人4人とパキスタン人1人の遺体が納まっている。祖国の政情が不安定であるがゆえに、隣国イランで暮らしてきた難民の若者たちであることは公然の事実だった。彼らの生活実態は厳しい。テヘランの路上では、深夜にゴミ箱を漁る難民の少年たちの姿を幾度も目にした。

シリアで戦死したアフガニスタン難民の「国葬」

義勇兵となってシリア内戦に向かうアフガン難民たちの取材を始めて1年あまり。2017年11月、イラン中部の宗教都市コムでは彼らの葬儀が営まれていた。主催者として式次第の進行を仕切っていたイラン革命防衛隊は、戦死者5人の所属先だったアフガン人部隊、ファテミユン旅団と切っても切れない関係にあった。

　銃を携えた遺影の中には、どこか日本人と似ている顔つきも確認できた。アフガンでは少数民族として差別されてきたハザラ人だろう。「彼らは命を賭してシリアのシーア派聖廟を守り抜いてくれた」。追悼のメロディーに感傷的なアナウンスが重なり、戦死者5人がしきりに「英雄」として顕彰される。事実上の「国葬」と言ってよかった。

イランの意に沿って戦い、命を落とした義勇兵は、国籍にかかわらず「殉教者」と認定される。遺族には政府の補償も約束される。通常では決して得ることのできない名誉と待遇は、社会的地位にも経済的基盤にも恵まれない難民を新たな義勇兵へと駆り立てる。

前後の時期、シリアにおける義勇兵の戦死者は少なくとも2000人、負傷者も約8000人まで膨れ上がっていた。それでも、水面下でのリクルート活動が無くなる気配はなかった。イランが中東の勢力圏「シーア派の弧」を維持する上で、シリアは重要な橋頭堡(きょうとうほ)となっていたからだ。一時は飛ぶ鳥を落とす勢いだったISの駆逐が進み、盟友アサド政権の存続が確定的となっても、「ポスト内戦」の外交的駆け引きを睨んで地歩を固めておく狙いがあった。

至れり尽くせりの葬儀のフィナーレは、天国に送り出すための大切なプロセスとされる埋葬だった。郊外の墓地の特別エリアでひつぎの蓋が開けられると、純白の布にくるまれた5人の亡骸(なきがら)が現れた。地面に掘られた墓穴に、遺体が運び込まれようとしていた瞬間だった。

その場に突然、振り絞るような叫び声が響いた。白髪交じりの初老男性が立ったまま上体を大きくねじり、手にしたタオルに自身の顔をうずめている。戦死者の実父だった。言葉にならない慟哭は、数分間にわたり続いた。

「これ以上、いかなる取材も許可しない」

目の前に巨漢が立ちはだかったのは、埋葬の儀式も終盤に差し掛かるころだった。「一体誰が取材を許可したんだ」。目つきが殺気立っている。軽武装の民兵組織「バシジ」（人民動員軍）の地元トップだった。腕っぷしの強さで鳴らしてきたのは間違いなさそうだ。

革命防衛隊の息がかかったバシジは、国内の治安維持や風紀取り締まりを担い、有事の際には１００万人まで動員が可能とされる。反米の保守強硬派を下支えし、一部の中核メンバーは目的のためには暴力も厭わない存在として恐れられていた。

ファテミユン旅団の存在が、イラン当局が神経をとがらせてきたテーマであることは見越せていた。だからこそ、取材に当たっては地元のルールを極力尊重し、いつにも増して根回しを徹底した。政府から提示された条件は「葬儀の現場ではインタビューはＮＧで、写真撮影のみＯＫ」という内容だった。指定された「ガイド役」の関係者が終始同行することも含め、すべてに同意した上で話を付けていた。

そうした事情を説明していると、バシジの巨漢はらちが明かないと思ったのか、緑の制服姿の中年男性を連れてきた。革命防衛隊の精鋭コッズ部隊の幹部だった。後日になって米軍に殺害された英雄司令官ソレイマニの指揮下、イランの対外工作を遂行すべく、シリアを含む中東各地で暗躍してきた百戦錬磨のエリート軍団だ。公の場には滅多に姿を見せず、じかに相対するのは私も初めてだった。

これまでに一体、どれほどの修羅場をくぐり抜けてきたのだろうか。痩身の彼は表情から感情を消したまま私を一瞥すると、おもむろに携帯電話を取り出した。電話口の向こうの相手と短い会話を交わした後、にべもなく言い放った。「コッズ部隊はこれ以上、いかなる取材も許可しない」

言い争いは無用だった。彼らがその気になれば、外国メディアの記者の命運など思いのままだ。取材を断念し、足早に現場を離れた。

帰らぬ息子との対話

「2015年11月23日、アレッポ」。漆黒の墓標には、故人が死亡した日付と場所が刻まれていた。テヘラン郊外の広大な共同墓地ベヘシュティ・ザハラ。ここはアフガン難民の「殉教者」たちが眠る一角だった。一般のイラン人にも知られていない特別な場所だ。

遺影の面立ちには、まだあどけなさが残っていた。生年月日から計算すると、命を落とした時は若干17歳だったようだ。シリア第2の都市アレッポは、当時は一進一退の攻防が続いていた激戦地だった。

国際人権団体ヒューマン・ライツ・ウオッチは、革命防衛隊が成人だけでなく未成年のアフガン難民までも義勇兵に組み込み、シリア内戦で従軍させているとの新たな報告書を発表していた。イラン各地で未成年の戦死者と疑われる墓標が少なくとも計8人分確認されており、事実であれば「国際法上の戦争犯罪に当たる」とも指摘した。

傍らの墓標には初老のアフガン女性が静かに寄り添っていた。私たちが訪れるずっと前から、帰らぬ人となった息子と無言の対話を続けていた。

彼もまた、若くしてシリアの前線で戦死していた。「殉教者」の遺族となった女性は、のちに崩壊の運命を辿るガニ政権（当時）とイスラム主義組織タリバンの間で戦闘が続いていた祖国アフガンから特別に招かれ、イラン国内で余生を過ごせる保障を得たという。これまでの人生では考えられなかったような経済的サポートも受けていることだろう。

アフガンの混迷は収まりそうにない。「息子のことを考えると、いつもやるせなくなる。ただ、今ここに平穏な生活があるのも確かなの」。彼女は言葉を選びながら、愛息の命の代償に感謝を口にしてみせた。物悲しげな表情だけは崩すことはなかった。

第6章 日本との絆を紡ぐ

日本・イラン合同マナスル遠征隊の隊員たち。40年の節目を記念する式典にて。手前右が影山淳、その左がモハンマドジャファル・アサディ

半世紀途絶えぬ岳人の友情

欧米との対立がしきりにクローズアップされ、国際社会において一匹狼的なイメージが流布しているイランだが、超が付くほどの親日国であることは広く知られてはいない。現地の人々とじかに触れ合ったことのある日本人なら、誰だって一度や二度は好感度の高さに驚かされた経験があるはずだ。

日本政府が標榜してきた平和外交、石油メジャーとの違いを印象付けた日章丸事件、先端技術の粋を結集したトヨタやソニーばかりではない。世界的にもユニークな日イラン関係の陰には、名もなき市井の人々が紡いできた草の根の絆があった。

私たち日本人にとって、イランは決して単なる中東の一国家ではない。彼らの姿に目を向けてみれば、改めて心に留めておきたい事実が浮かび上がってくるだろう。

すべての発端は、淡くぼやけたカラー写真に焼き付けられていた。雪深い急斜面に登山着姿の邦人男性がぽつりと佇んでいる。顔は激しく出血し、ストックを支えに立っているのもやっとの様子だ。半世紀前の1972年10月、イラン北部の難峰アラム・クー山（標高約4850メートル）における登山事故現場だった。

被写体の影山淳は当時25歳だった。名古屋山岳会のアルプス・シルクロード登山隊に名を連ねる新進気鋭の若手アルピニスト。直前にはアルプス三大北壁として知られるマッターホルンやグランドジョラスを攻略したばかりで、満を持しての挑戦だった。

「予想以上に手ごわい」。アラム・クー山頂付近の岩場に取り付いてまもなく、影山が抱いた実感だ。高低差約800メートルの絶壁は、氷混じりの難所が絶えることなく続いていた。指先に体重を傾け、全身の筋肉に力を加え、少しずつよじ登っていく。中腹のくぼみでいったんビバーク（野営）し、一夜が明けた2日目に勝負をかけた。

登攀達成まで残り数十メートル。「あと一歩でいけそうだ」。わずかな足場に重心を移した瞬間だった。ちょっとした拍子に体のバランスが崩れ、空中へと放り出された。真っ逆さまに落下しながら、恐怖のあまり失神した。

それから何分間が経過したのかは分からない。目が覚めると、宙をふわふわと浮遊していた。体は切断寸前のザイルにかろうじて吊り下げられた状態だった。錯乱状態になりながらも、近くに見えた岩場に必死でしがみついた。残った力を振り絞り、岩壁の基部まで降下した。九死に一生を得たが、全身の打撲や裂傷でまともに動くこともできなかった。

事故の一部始終を目撃していたのが、当時31歳の地元ガイド、アブドリーだった。影山一行の登山プロジェクトをサポートしていたイラン山岳連盟のメンバーで、現地では岩壁の麓までの水先案内人を務めていた。

そばに駆け寄ると、影山の顔からは出血多量で生気が失せていた。携帯電話や衛星利用測位システム（GPS）が普及するのは、まだしばらく先のことだ。助けを求めようにも現場一帯に人家は存在せず、移動手段や通信手段もなかった。「私が何とかしないと、命が危ない」。応急処置を施し、その場に体を横たえると、覚悟を決めた。時間との勝負だった。

1人で下山を始め、通信設備が整っている数十キロ先の軍施設を目指した。オオカミの生息地帯を何度も転びながら急いだ。夜を徹して辿り着き、電話を借りてイラン山岳連盟に救助を要請した。緊急出動したヘリに同乗し、記憶を頼りに現場まで誘導した。事故発生からは実に約30時間。何とか持ちこたえている影山の姿を機中から確認した時には、胸をなで下ろした。

影山は搬送先の病院で手厚い治療を受け、一命を取り留めた。一連の対応は国王だったパーレビ直々の指示だったと耳にした。無事日本に帰国でき、「生涯を費やしてでも恩返ししたい」と思っていたところ、折良くイラン山岳連盟会長が訪日する機会があった。再会を果たし、涙を流して感謝を伝えた際、登山家同士で交流の輪を広げようとの話が持ち上がった。

その要となったのが、1976年の日本・イラン合同マナスル遠征隊だった。互いの国から隊員10人ずつを選抜し、ヒマラヤ山脈の高峰マナスル（標高8163メートル）で世界初の秋季登頂に挑戦する一大プロジェクトだ。山岳ガイドのシェルパや物資を運ぶポーターも含めると、総勢約600人もの大所帯となった。身体能力に優れ、現場でのコンディションにも恵まれた影山は、山頂にアタックする唯一のペアに抜擢された。

凍てつく低温、酸素欠乏や雪崩。標高8000メートルの世界は、歴戦の山男が何人も命を落としてきた極限状況だった。ザイルで体をつなげたモハンマドジャファル・アサディは、卓越したサバイバル能力を備えたイラン軍兵士ではあったが、さすがの彼も体力を激しく消耗した。脳に変調をきたし、登攀ルートを外れて深い谷間に落下しかけた。

ペアを組む2人もろとも転落死しかねない最大のピンチだったが、影山はザイルを切断することなく踏ん張り、最後まで支えになった。「ものすごく苦しかった。けれど、これで少しは恩返しができたかな」。マナスル山頂に日本とイランの国旗を掲げた瞬間、アラム・クー山の登山事故の記憶が蘇り、思わず感涙した。

テヘラン都心部にある劇場のステージに、温かな拍手が送られていた。白髪交じりの屈強な老人たちが、花束を手に万感の笑みを浮かべている。客席はかなりが埋まっていた。マナスルの快挙からちょうど40年が経過した2016年の夏、日本・イラン合同遠征隊の隊員やその家族、イラン山岳連盟関係者ら約200人が一堂に会した。

日本政府や大使館の後押しがあったわけでもないのに、これだけ盛大なイベントの開催にこぎ着けたこと自体が、いかに彼らの結び付きが強いかを物語っていた。古希目前の69

歳となった影山の傍らには、アラム・クー山での命の恩人アブドリー、マナスルで命を預け合ったアサディが立っている。皆が等しく年齢を重ね、目元にはしわが刻まれていた。

この40年間、イランはイスラム革命やイラン・イラク戦争といった波乱を幾度も経験した。一部隊の指揮官として激戦地に派遣されたアサディは、消息が途絶えてしまった時期もあった。でも互いに別の道を歩もうが、政治体制や社会経済がどうなろうが、親友は親友だった。影山たちは相手のことを忘れず、息長く文通や往来を続けてきた。

質実剛健を絵に描いたような遠征隊員も平均年齢が70歳を超え、徐々に訃報も届くようになった。このまま草の根交流が消滅するのはあまりにも惜しいということで、新たに子や孫の世代が加わり、親世代からバトンを引き継ごうとする機運が芽生えていた。2世メンバーの中には、登攀隊長だった日本人のように立派に育ってほしいと、同じ「タムラ(田村)」という名前を授かっているイラン人もいた。

「山からつながった素晴らしい友情を、未来に伝えていきたい」。ザイルで固く結ばれた岳人の絆は、歳月を経ても広がり続ける。

阪神大震災に遭遇した地震学者

死の恐怖と、変わり果てた街の光景。イラン屈指の防災専門家ネマト・ハサニにとって、1995年1月17日は何があっても決して忘れることのできない日だ。当時はまだ駆け出しで、ちょうど神戸大大学院の留学生だった。阪神大震災での被災体験は、その後の研究者人生を運命付けることになった。

　住民が寝静まっていた午前5時46分。ネマトは神戸市の人工島ポートアイランドにある公営住宅9階の自宅で、イスラム教で定められた朝の礼拝を終えたところだった。突然大きな爆発音が響いたかと思うと、立っていられないほどの激しい揺れがやってきた。「死んでしまう」。室内の家具は倒れ、食器が音を立てて割れた。近くにいた妻や子ども2人と、必死で安否を確かめ合った。

　揺れが収まるのを待ち、公営住宅の非常階段を駆け降りて外に出た。大規模な液状化現象で路面のアスファルトは波打ち、損壊した水道管から水が噴き出していた。延焼を始めた火災の猛煙が見え、救急車のサイレンがけたたましく鳴っていた。破片で切ったのか、足裏からいつの間にか出血していた。

　阪神大震災は日本で観測史上初の震度7を記録し、6434人もの犠牲者を出した。奇しくもネマトの専攻は地震工学だった。地震災害の凄まじさはキャンパスで学んできたつもりだった。目の前の景色は、頭の中にあったすべての知識を凌駕していた。

　家族を連れて避難所となった小学校に駆け込み、毛布の上で身を寄せ合って不安な一夜を過ごした。真冬の寒気で底冷えする中、携帯ラジオのニュースが次々に被害状況を伝えていた。現場一帯ではガスや水道が止まり、自宅の壁にも亀裂が入った。留学先の神戸大では40人超の学生・職員が命を落とした。

平穏な日常は当分の間戻ってきそうにない。子どもたちが受けた心の傷も気掛かりだった。家族のため母国イランに退避すべきだろうか。妻と話し合ったが、すぐに心を決めた。「神戸にとどまろう。この街が立ち直れるよう、私なりにできることをやりたい」

防災はデータが命だ。市街地の被災実態をつぶさに調べ、ちゃんとした形で記録に残しておけば、災害に強い復興計画を進めていく際に役立つと考えた。危険な場所も残るがれきの合間を、カメラを手に連日歩き回った。神戸大大学院では前にも増して学問に打ち込んだ。都市型災害のシンボルともなった阪神高速道路神戸線の倒壊原因を探究し、論文にまとめた。

研究活動と並行して、自分と同じ外国人被災者を気に掛けた。寄る辺もなく、情報格差の中で孤立しがちな境遇は、身をもって分かっていた。言葉の問題から医療機関に行けず、立ち往生する人を見掛ければ、診察に付き添って通訳も引き受けた。住まいの損害状況が深刻だった留学生仲間を自宅に招き、身の回りの世話をした。

被災地で残りの留学生活を全うし、1997年に地震工学の博士号を取得した。一旦はイランに帰国したが、1998～2000年に神戸大助教授として再訪日し、今度は教える立場から復興を見守った。最終的に研究・生活の拠点をイランに戻して以降も、日本との学術交流は続いた。

「日本とイランをつなぐカケハシ」

複数のプレート（岩板）が巨大な力でぶつかり合い、活断層も密集するイランは、日本と並ぶ地震大国だ。2003年のバム地震では3万人以上の人命が失われた。2017年のイラン・イラク国境地震でも600人超が犠牲になった。何度も繰り返される悲劇に心を痛めてきた一人が、ネマトだった。

必要以上に被害が拡大する主因は、脆弱（ぜいじゃく）な防災インフラだった。被災地の視察を重ねるにつれ、建物耐震化や地震計設置、初動態勢整備が進んでいない現実を痛感した。直下に巨大活断層を抱える首都テヘランでは、大地震が発生すれば最悪で約38万人が死亡するとの推計さえあった。防災先進国・日本の知見が行き渡れば、救える命をずっと増やせるはずだった。自身がこれまで積み上げてきた人脈を総動員しない手はなかった。

日イラン合同の防災ワークショップを催し、研究者同士のネットワーク強化を図った。イラン人技術者の災害研修プロジェクトを推し進め、のべ100人以上を日本のインフラ企業などに派遣した。テヘラン都心部のライフライン耐震化プロジェクトで顧問に就き、日本から招いた専門家とともに最善策を練った。教授を務めるベヘシュティ大の講義では、阪神大震災や東日本大震災をケーススタディーで取り上げた。

2016年に日本政府から授与された外国人叙勲は、国をまたいで防災力強化に取り組んできたライフワークの思わぬ副産物となった。私は受章からしばらく時間を置き、日本体験をじっくり聞こうとテヘラン市内の事務所を訪ねた。脂が乗り切った58歳のネマトは、よどみない日本語や英語も交えながら言葉に熱を込めた。

「阪神大震災のサバイバーとして、私は日本とイランをつなぐカケハシ（懸け橋）であり続けたい」。防災専門家という道は、彼にとっては天の配剤だったに違いない。未来の被災者のために歩む胸中に、神戸の街とそこで出会った人々の姿が刻み込まれていた。

「善意」の種まく半身不随男性

もしも突然、不慮の災難で体の自由を奪われてしまったならばと想像する。よく晴れた日にお出掛けし、気の置けない友人とぶらぶら歩く。仕事が一段落した夜、ジョギングで気持ちの良い汗を流す。当たり前だった一つ一つが思うようにできなくなった時、果たして現実を受け止めることができるだろうか。

正直、自信は全くない。再び前を向いて立ち上がり、一歩を踏み出すためには、その人本来の人間性が問われることになるはずだ。そんなことに思いを巡らせ、敬服の念を抱かされた出会いがあった。

神奈川県秦野市のNPO「イランの障害者を支援するミントの会」の代表モハンマド・パシャイだ。在日イラン人として人生の半分以上を過ごしてきた日本で脊髄に損傷を負い、下半身不随となった。自身が障害当事者でありながら、体が不自由な母国の人々に車椅子や電動ベッドを届ける活動に身を捧げてきた。

直接取材ができたのは2016年8月。46歳だった彼はイランに一時帰国し、テヘランの脊髄損傷者が集う自助団体の事務所に姿を見せていた。車椅子に乗りながらも当事者や支援者の間を動き回り、熱心に情報交換に励む姿は、一見すると重度障害者には見えなかった。私とは初対面にもかかわらず、過去のどん底時代をさらけ出してくれた。

悪夢は前触れなくやってきた。2004年、パシャイは建設現場で作業員として仕事をしていた。高所から重量約660キロの鉄製ローラーが転落し、胸部を直撃した。最後に覚えているのは、救急車のサイレンと消防隊員の呼び掛け。約1カ月半もの間、意識不明のまま生死の境をさまよった。

我に返った時、一命は取り留めていたが、へそから下の感覚は全くなかった。「あなたの両足はもう一生動かない」と医師から宣告された。労災事故で傷ついた脊髄は背骨の中を通る神経で、脳からの信号を体の各部に伝達する役割を果たしている。自然には再生しないため、一度失われた運動機能を取り戻すのは現代医学をもってしても困難だ。患者は日本国内だけでも10万人超存在し、毎年5000人が新たに生まれているとされる。

そもそも日本に定住したのは「高度な建築技術を身に付け、いつか母国に伝えたい」との夢があるからだった。20代前半だった1990年代初頭から、体を張って建設現場を渡り歩いてきたのに、すべてが台無しになったように思えた。「このまま生きていても意味はない」。言うことを聞かない体でベッドに横たわり、病室の天井を呆然と見つめた。

退院までに1年近くかかり、その後も定期的な通院が欠かせなかった。抜け殻のような状態が続いていたある日、街で四肢がない日本人男性が福祉機器を器用に操り、助けを借りずにバスに乗車するのを目にした。前後して知り合いになった別の重度障害者は、いかにして車を運転するか実演してみせた。たとえハンデを背負っても、人生を精いっぱい謳歌する姿にはっとさせられ、パシャイはリハビリに打ち込んだ。

車椅子にも慣れたころ、イランの障害者の現状を知る機会があり、唖然とした。介護機器の慢性的な不足で、大勢の人々が寝たきりや座りっきりの生活を余儀なくされていた。バリアフリー環境は未整備で、段差だらけの街中は出歩くのさえ難しかった。「労災事故に遭ったのがイランだったら、私も同じ苦しみを味わっていた」

何とかしたいと2006年に一念発起し、ミントの会を設立した。日本国内の医療機関や養護学校にコンタクトを取り、不要になった福祉機器を譲ってもらえないか掛け合った。毎年、車椅子20〜30台、電動車椅子10〜15台、介護用電動ベッド5〜10台ほどをこつこつと集めては、イランに送り届けてきた。

福祉機器という存在は、身体障害を背負った人々の日常生活を物理的に補助するばかりではない。元のように物事を行えることで一度は失ってしまった自信が蘇り、色あせていた世界が再び輝き出す精神的効用も大きいようだ。

２００９年に交通事故で頸髄損傷を負い、首から下がすべて麻痺状態となったアハド・ラヒミ（41）は、ミントの会から福祉機器を受け取った一人だった。約4年間は自宅で寝たきりのまま、ひたすら自分を責め続けていた。

でも電動ベッドがあれば体を起こすことができ、電動車椅子を操れば移動できる。最初は恐る恐る、近所の銀行や商店街に出掛けてみた。徐々に慣れてくると、公共交通機関を乗り継いで旅行を楽しんだ。家族と共同作業ではあるが、元技術者のキャリアを生かし、障害者仲間の福祉機器の修理を引き受けた。「人生が変わった。本当に幸せだ」

アハドのような障害者が一人また一人と再起を果たすにつれ、イランでミントの会は知られるようになった。地元メディアが活動の動向を報じ、バリアフリーの知見が乏しい地方自治体は職員向けに研修を実施してほしいと依頼を寄せた。パシャイは日本人専門家を連れてイラン国内を回り、障害者に優しい街づくりについてアドバイスした。

「私が再び夢を見いだしたのは、日本人の優しさに助けられたおかげ」。インタビューでの感謝の言葉には、パシャイ本人の人柄がよく表れていた。今度は母国の仲間を支え、厳しい現状を少しでも良い方向に変えていこうとする活動に、今や日本の医療従事者ら約30人が伴走していた。

ミントの会の名称には、繁殖力が強いミントのように支援の輪が広がってほしいとの願いが込められていた。現に善意の心は周囲に伝播し、国境を越えてたくさんの草花を咲かせている。パシャイの軌跡は、まさしく一粒のミントの種のようでもある。

幻のペルシャ陶器に生きる美濃焼陶工

幻のペルシャ陶器「ラスター彩(さい)」をご存じだろうか。光の加減に応じて、あるいは眺める角度によって、まるで魔法のように表面の光沢が移り変わっていく。「虹色の輝き」にも喩えられる由縁だ。決して万人に知られているわけではないが、気まぐれで繊細な美しさが見る者の心を惹きつけてきた。

枕詞の「幻」にはわけがある。11〜13世紀に現在のイラン中部カシャンなどでさかんに制作されていたが、モンゴル軍の侵攻で窯元は取り壊され、貴重な資料は散逸した。ペルシャ人が異民族から統治を取り戻したサファビー朝時代(16〜18世紀)の初期には、完全に消滅した。以降、世界で唯一無二の特殊な技法は途絶えていたのだ。

だが数世紀を経た1970年代になって、ほとんど何もないところから試行錯誤の末に復元された。立役者はイランの陶芸家や研究者かと思いきや、なんと江戸時代から続く美濃焼窯元の陶工だった。

加藤卓男(1917〜2005年)は名門の6代目当主だった。第2次大戦中に従軍先の広島で被爆し、長期療養から復帰してまもない１９６０年ごろ、転機は訪れた。渡航したイランでラスター彩の歴史を知り、独特の色彩美に一目惚れした。

わずかな手掛かりを求め、現地に約1年間滞在した。研究機関で文献を漁り、古窯跡を回って陶片を採取した。日本に帰国後、自身の窯元に籠もり、実に十数年もの時間を研究につぎ込んだ。

「失敗すれば、あいつは馬鹿かと言われかねないほどの冒険だった」。そばで補佐役を務めた長男の幸兵衛は振り返る。「とにかく派手」なラスター彩は、わびさびが重んじられてきた日本古来の陶芸とは対極にある。古き良き伝統を大切に受け継ぐ職人の世界で、どんな酔狂かと捉えられたのは必然だった。

陶器の中でも制作プロセスがとりわけ複雑なため、研究は暗中模索の日々だった。焼き物の極意は、一に「焼き」、二に「土」、三に「細工」とされてきた。陶土をどう焼き抜くかが何よりも問われることになるが、その勘所が掴めないのが最難関だった。

燃料に灌木（かんぼく）を使用するのでは、技法復元に必要な火力や焼成時間のデータが得られなかった。そこで思い切って、ガスと電気を併用するタイプの窯を試すことにした。一旦は高温で焼き、絵付けを施した後に改めて低温で焼けば、陶器の強度と色彩が両立できることを探り当てた。

何度も試作用の窯をこしらえては、解体した。割れた陶器の失敗作が積み重なった。

「世の中にはいいものしか出せない」。ひとかどの職人であるならば、中途半端な妥協は許されなかった。退路を断ち、黙々と手探りを続けた。

父子の執念が実を結んだ異色の研究成果は反響を呼び、ついには日本の外交史にも足跡を残した。1978年に福田赳夫首相がイランを訪問した際、国王パーレビに贈呈した「ラスター彩鶏冠壺」は、生前に人間国宝にも選ばれた卓男の代表作となった。

技法をイランに逆輸入

ギャラリースペースのオブジェが放つ虹色のきらめきは、確かにラスター彩の特色そのものだった。2017年4月、テヘラン西郊カラジの窯元。民族衣装姿の女性の陶器人形があれば、車体から男性の顔がニョキッと生えた乗り物型もある。イラン人ならではの感性がちりばめられた作品は、どれもまた味わい深い。

日本で復元されたラスター彩の技法をイランに逆輸入する動きが本格化したのは、2016年以降だった。「ペルシャの美しい伝統工芸が本場でも復活してほしい」。卓男の没後、美濃焼窯元の跡取りとして遺志を継いだ幸兵衛が仕掛け人となった。

幸兵衛がイラン陶芸界に人脈を築く上で橋頭堡になったのは、父子の作品を展示したテヘランのラスター彩展覧会だった。会場で制作工程を実演してみせた際、見学していた地元陶芸家約40人の中に、カラジの窯元当主ベフザド・アジュダリ(48)がいた。

ベフザドは名門テヘラン美術大で教授も務めていた。実力や経験は申し分なく、未来を担う若手陶芸家を育成できる立場に身を置いている。イランの「一番弟子」を探していた幸兵衛にとっては、渡りに船の出会いだった。

直接ラブコールを送り、岐阜県多治見市にある自身の窯元に招いた。約3カ月間住み込んでもらい、連日みっちり指導した。ラスター彩の制作工程に関するデータは余すところなく提供し、一般的には門外不出とされる釉薬（ゆうやく）の配合方法まで伝授した。イランで技法が滅びている現状に「痛みを感じてほしい」と訴えた。

カラジの窯元の展示作品は、日本での武者修行を経てラスター彩のフロントランナーとなったベフザドが、その後の仕事を集大成したものだった。きれいな虹色のグラデーションを前に、お披露目のために招待されていた幸兵衛の笑顔がはじける。緒に就いたばかりの技法伝承の取り組みは、花マルの合格点のようだ。

窯元の片隅では、ベフザドに師事する若きイラン人陶芸家たちが真剣な表情で制作に励んでいた。71歳の老境に入った幸兵衛にとっては、さしずめ「孫弟子」に当たるだろうか。幻のペルシャ陶器の本場で、一本筋が通った日本の職人魂は脈々と息づいていた。

イラン人と結婚した日本人女性

乾いたイランの大地を初めて踏みしめたのは、山村邦子が22歳の時だった。日本を出航後、幾度も長時間の船便を乗り継いだ。ホルムズ海峡を越えてペルシャ湾を奥へと進み、南西部の石油都市アバダンの埠頭に降り立った。運命なのだと、覚悟を決めていた。

傍らには、長身で一回り年上だった新婚の夫アサドラ・ババイが寄り添っていた。国際結婚がまだ珍しかった1960年のことだ。日本ではカラーテレビ本放送の開始が話題になり、戦後の高度経済成長時代が幕を開けようとしていた。

山村はイラン人と結婚した日本人の先駆け的存在だ。テヘランのバザール商人だったアサドラとは、彼の長期出張先の神戸で知人を介して出会い、情熱的なプロポーズを受け入れた。日本国籍を放棄し、イラン国籍を取得した。モスクでイスラム教への改宗も済ませた。兵庫・芦屋の生家は封建的な考えが残る仏教徒の家で、実父からは「家の敷居をまたぐことは金輪際許さない」と宣告された。

いったんイランに移住してみれば、地元社会に溶け込むのにさして苦労は感じなかった。アサドラが毎日祈りを捧げる様子を見るにつれ、イスラム教への関心は深まった。公用語のペルシャ語は、彼との間に授かった幼い息子と一緒に小学校教科書で学んだ。義理の家族や隣人は、遠い日本から嫁いだ新妻を10年来の親友のように温かく迎えてくれた。

穏やかな新生活は長くは続かなかった。1970年代、パーレビ王政の打倒運動が徐々に機運を高めた。一翼を担ったのが、アサドラ一家が属していたバザール商人のコミュニティーだった。王政の親米路線と近代化政策の下、貧富の差や強権政治が問題化していた。

社会矛盾に義憤を覚えていた山村もまた、自然と運動に身を投じた。

一家の自宅では、人目を忍んで反王政派の地下会合が催された。山村は粉末状の石けんなどを調合し、対戦車用の火炎瓶を作った。反王政運動のカリスマ的指導者だったイスラム聖職者ホメイニからの秘密指令が届くと、仲間に伝達して回った。秘密警察から未明の家宅捜索を受けた際には、正体がばれないようとっさに証拠を隠した。

反王政デモに参加する前にはいつも、手のひらに自宅住所を記した。非常事態に紛れて始末された場合でも、遺体が戻ってくる可能性を高めるためだった。人権軽視の武力弾圧や拷問が平気でまかり通っていた。

「命の危険は確かにあった。でも、怖いとは思わなかった」。王政が崩壊し、ホメイニが亡命先のフランスから15年ぶりの帰国を果たした日の光景は、鮮明に覚えている。街頭を埋め尽くした大群衆の中、山村は新たな時代の到来に歓喜した。

革命翌年、イラン・イラク戦争が開戦した。大学受験生だった次男モハンマドは志願して従軍し、無言の帰宅を果たした。国境地帯の前線でバリケードを構築中、砲弾の破片が頭部を直撃していた。約1カ月後、彼に宛てられた合格通知がもたらされた。

イスラム革命体制を支持し、戦いは革命を守るための「聖戦」と捉えていた山村は、畏敬の念をもって戦死の事実を受け止めた。日本では幼少期に太平洋戦争を体験した。空襲警報が鳴れば側溝に身を隠し、疎開先で山の彼方が焼夷弾で真っ赤に染まるのを目にした。

1988年のイラン・イラク戦争停戦は、異国で迎えた二度目の「終戦」だった。

長年連れ添ってきたアサドラは、2003年に先立った。商売で財を成した資産家だったが、自分自身のためには贅沢を好まなかった。山村は追悼の催しに足を運んで初めて、倹約の理由を知った。

会場に並べられた供花の名義は、寄付金で建てられたモスクや学校となっていた。敬虔なイスラム教徒だった彼は誰に言うこともなく、私財を投じてこつこつと慈善活動を続けていたのだ。最期の最期まで素敵な人だった。

イランの地で人生を全うする

数年単位でテヘランに滞在後、また日本へと戻っていく官民の現地駐在員とは一線を画していた山村は、総勢で1000人に満たない在留邦人の中でも孤高の存在と言えた。

「なぜ私はここにいるのか、改めて考えると不思議」。2018年7月、半日近くに及んだインタビューで来し方を振り返ってくれた。思いがけずイランに引き寄せられ、約60年間にわたり激動の異国生活を送ってきた生涯は、数奇という言葉が似つかわしい。

80歳の傘寿を迎えていた山村は、意外なことに苦労を微塵も感じさせなかった。それどころか、一家の母親以外に多彩な顔を持ち、舌を巻くほどのバイタリティーの健在ぶりだった。現役時代は小学校の図工教師、大学の日本語講師、文化・イスラム指導省職員といった仕事を掛け持ちし、定年後もボランティアに打ち込んでいた。

　祖国日本の地縁や血縁こそほぼ途絶えていたが、天涯孤独だなんてとんでもない。テヘランの2世帯住宅で、孫やひ孫に囲まれながら賑やかに暮らしていた。心を許し合える友も現地にたくさんいた。最近一番驚いたニュースは、イランほど身内の往来が活発でない現代日本の孤独死問題だったと明かした。

　完璧なアクセントのペルシャ語で、周囲と冗談を交わす。オーソドックスな漆黒のチャドルがそよ風に揺れる。その姿は紛れもなく、イランの市井にどっぷりと身を浸してきた老婦人だった。この地で人生を全うし、骨をうずめる。後悔などない。

　郊外の共同墓地ベヘシュティ・ザハラには既に、山村のネームが半分まで刻まれた墓石が立っていた。「そこには次男も眠っている。地名の意味、何だか分かりますか？」。彼女は不意に問い掛けた。ペルシャ語で「天国」だと告げると、ふわっと表情が華やいだ。

毒ガス被害少女、切なる願い

　夕日に染まる町に、イスラム教徒へ祈りの時を告げるアザーンが響いていた。家路を急ぐ少数民族クルド人の伝統衣装が鮮やかだ。周囲に険しい岩山が連なるイラン北西部バネ。国境の向こうはイラクだった。冬場は深い雪に閉ざされるこの地で、待望の短い夏が到来していた２０１７年６月。れんが造りの小さな自宅で、チマン・サイドプール（30）が遠い記憶をたぐり寄せた。

いつも速足で忍び寄る宵闇が、少女のころからずっと憂鬱だった。激痛を伴う咳の発作は一晩中続いた。腫れた肌はむずがゆく、かきむしるたびに血がにじむ。薬や酸素吸入器も気休めだ。まどろむことさえままならず、ベッドの上で涙が込み上げた。「どうして私はこんな体なの?」

チマンは化学兵器の被害者だ。皮膚や呼吸器に重い後遺症を抱え、視覚障害が現れた左目には角膜移植手術を繰り返してきた。対処療法しかない「不治の病」で、症状は悪化の一途を辿る。名医にもさじを投げられた。

雲一つない朝の春空が広がっていた。クルド人の小村で、いつもの穏やかな日常が動き出していた。あの日の出来事を、叔母アスマル(46)が振り返った。イラン・イラク戦争末期、一族の生家があったバネ西郊アルートを、突然の空爆が襲った。

あたりに煙が立ち込めた。腐ったニンニクのような、鼻を突く異臭が漂った。外出先から家に駆け戻った母は、一人泣いていた生後8カ月のチマンを抱え、防空壕へと走った。危うく難は逃れたはずだった。爆発に直接巻き込まれたわけでも、鋭利な破片が体に突き刺さったわけでもなかった。でも何かがおかしかった。やがて皆が吐き気やめまいに襲われた。逃げ惑う村人の悲鳴がこだましていた。

「娘にキスがしたいの」。搬送された病院のベッドで、母はチマンの小さな体を抱き寄せると息を引き取った。おなかに宿していた新たな命は、死産だった。呼吸困難にあえぐ6歳の姉は、のどにチューブをつながれたまま絶命した。

一体何が起きているのか、当時は見当もつかなかった。そばで一部始終を見届け、自身も体を蝕まれたアスマルはそこまで説明すると、後は言葉にならなかった。化学兵器被害者の典型的症状であるかすれ声を絞り出して泣いた。「やるせない光景だった。代わりに私が死んでいればよかった」

身を挺した母のおかげで、チマンは一命を取り留めた。だが長い受難は始まったばかりだった。体が言うことを聞かず、仲良しの友達はできなかった。化学兵器被害に周囲の理解は薄く、いじめの標的にされた。教室では視力低下のため黒板の文字がかすみ、授業に付いていけなかった。迷惑を掛けるのが嫌になり、小学5年で通学を断念した。家では掃除を手伝おうにも舞い上がる埃で気管が痛み、何一つ満足にできなかった。

ある夜、自宅で浅い眠りについていたアスマルは、隣の部屋から聞こえてくる咳の音で目を覚ました。様子を見に行くと、泊まりに来ていたチマンの嗚咽が漏れていた。「私の人生には何の値打ちもない」。とっさに返す言葉が見つからなかった。

当時、チマンが笑ったところを一度でも見たことがあっただろうか。いつもうつろな表情を浮かべた少女を、アスマルは不憫（ふびん）に思った。

村民約450人のうち7人が死亡、約40人が重軽傷を負ったアルートの空爆では、化学兵器の一種であるマスタードガスが使用されていた。これは当時、数ある被害のほんの一部に過ぎなかった。最も顕著なイラク北東部の「ハラブジャの虐殺」では、マスタードガス攻撃などで約5000人ものクルド人住民が殺害された。

攻撃主体はいずれも、イラクのフセイン政権だった。戦火を交えていたイランが国境一帯のクルド人と共闘する可能性を恐れ、その芽を摘んでおく狙いがあった。イラク国内でかねてクルド人を弾圧し、反政権感情が高まっていたからだ。

だが標的の大半は、チマンのような罪のない民間人だった。マスタードガスは塩化硫黄とエチレンから生成され、人体の皮膚や目をただれさせる「毒ガス」だ。高濃度になれば呼吸器障害で死に至らしめる。たとえ命に別条がなくとも、深刻な後遺症が現れる。

イラン・イラク戦争での実戦使用が契機となり、1997年には開発、生産、保有のすべてを禁じた化学兵器禁止条約が発効した。条約に基づき、生産施設の調査や廃棄状況の検証を行う化学兵器禁止機関（OPCW）も発足した。

国際社会で非人道性は広く共有されるようになったが、新たな被害も後を絶たない。最近では、シリア内戦でアサド政権が塩素ガス攻撃を行ったとOPCWが結論付けた。前代未聞の過激派組織ではあるにせよ、少なくとも正式な国家ではないISもマスタードガスを使用した。

「貧者の核」とも呼ばれる化学兵器は開発コストが安く、殺傷能力が極めて高い。「同じ苦しみを、もう誰にも味わってほしくない」。物心ついた時から、絶えることなく生き地獄が続いてきたチマンの切なる願いだ。

ヒロシマが変えた少女チマンの人生

小さな三輪車は黒焦げで、ぐにゃりと骨組みが変形している。上空で閃光が炸裂した1945年8月6日午前8時15分、持ち主の3歳男児はサドルに乗って遊んでいた。強烈な熱線と爆風、放射線にさらされた彼は、全身にやけどを負った揚げ句に「水、水……」とうめきながら息絶えた。

遺品の三輪車は無言の証人となって、あの日の惨状を雄弁に伝えていた。広島市の原爆資料館で対面した時、生後8カ月で化学兵器被害に遭ったチマンは18歳になっていた。かつての自分を、犠牲者の男児に重ね合わせた。

核兵器と化学兵器は生物兵器と並び、非人道的な結末をもたらす「大量破壊兵器」と呼ばれてきた。人体を破壊するメカニズムこそ違えど、同じ傷痕を抱える被害者として、チマンはイランから被爆地・広島を訪問する代表団に選ばれていた。

広島では米軍のB29爆撃機が投下した原子爆弾「リトルボーイ」で、その年末までに推定約14万人が命を落とした。訪問プログラムは平和記念式典が催され、街全体が祈りに包まれる8月6日の「広島原爆の日」に合わせたものだった。約1週間の滞在は、それまで家と病院を往復するだけの狭い世界で生きてきたチマンの心を根底から揺さぶった。

原爆資料館で被爆の実相を目の当たりにし、共感せずにはいられなかった。面会した被爆者は化学兵器の被害体験に耳を傾け、自身の肌に生々しく残るケロイドを見せてくれた。放射線に起因する健康被害に苦しみながら、核なき世界を願う一心で証言活動に声を枯らしていた。チマンにとって、その姿は「奇跡」に映った。

「死ぬのをただ待っていたけれど、ヒロシマで変われた気がしたの。痛いのは私だけじゃない。頑張って生きる意味もきっとあるんだ、って」

訪問プログラムを企画したのは、イランの化学兵器被害者に草の根の医療支援を続けてきた広島のNPO法人「モースト」だった。理事長の津谷静子(62)は、別れ際にチマンがくれた言葉が忘れられない。

「生まれて初めて、うれしい」。鬱状態から精神科の薬が手放せず、周囲がたじろぐほどだった彼女の無表情が、みるみる笑顔に変化していく。人的交流の活動にどれほどの意味があるのかと迷いも生じていたが、遠く離れた海外から寄せられる共感の深さに救われる思いがした。


墓標や慰霊碑が並ぶ高台の墓地公園に、鎮魂の歌声が流れていた。2017年6月、イラン北西部サルダシュトで化学兵器犠牲者の追悼式典が催された。

30年前、この町ではイラク軍の化学兵器攻撃で約８０００人が被害に遭い、うち１００人超が死亡した。「サルダシュトの悲劇」と呼ばれる負の史実だ。街角には今でも、有毒な残留物のために解体できない建物が放置されている。

式典会場には、広島からモーストのメンバーが来賓として招かれていた。彼らが医療支援活動で最も力を注いできたのがサルダシュトだった。地元住民の対日感情はイランの中でも格別だった。市街地には「ヒロシマ・ストリート」と銘打たれた通りが存在し、日本人と分かるたびに私まで握手攻めに遭った。

参列者の中に、いつも優れない体調に注意を払いながら、約40キロ東のバネから足を運んだチマンがいた。笑顔に涙も浮かべながら十数年ぶりの再会を喜び、津谷に夫タヘル（41）と愛娘ゲラレ（３）を紹介した。わずかに膨らんだおなかには、第２子となる男の子の命も宿っていた。

高額の医療費や根強い差別。まともな社会生活も送れない化学兵器被害者が置かれた現状は厳しい。なぜしゃがれ声なのかを問われると、チマンは「風邪なの」とうそをつく。タヘルは看病に専念するため、市場の仕事を辞めた。爪に火をともすような一家の生活は、政府機関のささやかな補助金頼みだ。

それでも、平凡な幸せこそがチマンにはいとおしい。親族の紹介で恋に落ちたタヘルは

イラン北西部バネの自宅で娘のゲラレとくつろぐ化学兵器被害者のチマン・サイドプール（共同通信）

健常者なのに、ありのままの自分を受け入れ、肯定してくれた。妊娠中は病状が遺伝しないか不安だったが、ゲラレはこれ以上ないくらい健康に生まれてくれた。

望むべくもないと諦めきっていたが、本当はずっと人の温もりを求めていた。「こんな私にも、大好きな家族ができるなんて」。どこか控えめな様子で相好を崩す。呼吸器の損傷で胸が痛み、腹の底から思い切り笑うことが困難なためだ。

無邪気にまとわりついてくるゲラレとの手遊びが始まった。はしゃぎながら指を絡め、顔をぴたりと寄せ合う母子の姿を、実直なタヘルが静かに見つめている。こうした心安らぐ時間がなかったら、終わりのない闘病に耐え続けることができただろうか。

ヒロシマと出会わなければ、きっと片時も表情を緩めることなんてできなかった。「笑顔は私の命そのもの」。後遺症にうずく喉を懸命に震わせ、今日もチマンはほほ笑む。過酷な運命にあらがうために。

在日イラン人は今

薄暮の繁華街にご当地名物のギョーザ店が軒を連ねる。日本国内で新型コロナ禍が続いていた２０２１年５月、人口50万人強の栃木県宇都宮市。角地の小さな雑居ビル２階からは、ペルシャ家庭料理レストラン「カスピアン」の明かりが控えめに漏れていた。

「イランとの草の根交流の拠点作りがしたい」。長年の夢を叶えようと、在日イラン人モハンマドホセイン・カゼミ（53）が約10カ月前に家族経営でオープンした。店内は任意団体「日本イラン友好協会」の事務局も兼ねていた。近く一般社団法人になる見込みで、協会会員には地元の日本人や在日イラン人ら計50人超が名を連ねていた。

日本法務省の在留外国人統計によると、２０２０年12月時点でイラン国籍の在留者は４２７８人。在留資格別に見ると「永住者」も２６２０人に上っている。日本がバブル景気に躍っていた１９９０年、トランク一つで来日したカゼミは、私たちの隣人として暮らしてきた在日イラン人の「第１世代」だ。１９９２年に日イラン両政府がビザ免除協定を停止するまで、イラン人にとって日本は出稼ぎ先の一つだった。

　在日イラン人の実像は、必ずしも正確に伝わってきたとは言い難い。１９９０年代、一部の不法滞在者が偽造テレホンカードや麻薬密売で逮捕される事件が相次ぎ、偏見が一人歩きしたからだ。実際には、大半の人々がまっとうに働き、汗水垂らして日本経済を支えた。最近ではイラン出身の女優やサラリーマンが第一線で活躍し、日本人とのハーフでは米大リーグ投手のダルビッシュ有や歌手のMay J.といったスターも生まれた。

　カゼミはテヘランで生まれ、多感な思春期にイラン革命を経験した。イラン・イラク戦争末期、21歳で徴兵され、国境付近の激戦地に派遣された。敵の猛攻撃で敗走中、惨殺された味方の遺体をいくつも目にした。自身も毒ガス攻撃を受け、両目に後遺症を負った。運良く生き延び、停戦を迎えたが、国内経済の不況でまともな仕事は望めなかった。テレビで放送される「おしん」や黒沢明作品で、はるか東方の新天地に憧れた。

　来日後、さまざまな仕事を経ながら、日々の生計を立ててきた。最初は寮住まいの木工職人。そしてペルシャじゅうたん販売店。住宅リフォームやペルシャ語通訳のアルバイトでも収入を補った。

　生活拠点を構えた宇都宮で毎晩日本語を勉強し、プライベートでボランティアの集いに顔を出した。凄惨な戦争体験を経て、相互理解の礎となる民間国際交流に関心が向いていた。理不尽に命が奪われ続けるこの世界を、どうすれば変えることができるのか。会う人会う人に熱心に意見を尋ね、ノートにメモを書きためるカゼミのことを、やがて地元の日本人は気に掛けるようになった。

「まじめで穏やかで、仕事を頑張っていた。普通の人と人を友好的につなげようとのポリシーを持っていた。みんな彼の人柄に惚れたんですよ」。家族ぐるみの付き合いが生まれた元銀行マンの斎藤秀一（72）は振り返る。2017年に立ち上がった日本イラン友好協会では発起人の一人に手を挙げ、カゼミが専務理事として要を担うよう背中を押した。気の置けない友人やボランティア仲間、地元の名士らは二つ返事で会員に加わった。

想定外の出来事が次々に起きたのは、彼らが構想を温めてきた宇都宮発の草の根交流が本格始動する矢先だった。トランプ時代にイラン情勢が緊迫し、イラン人医師の日本視察プログラムや日本人協会会員のイラン訪問プログラムといった日本イラン友好協会の事業は軒並み中止に追い込まれた。

情熱を注いできた取り組みの不振に加え、大好きな母国が再び戦火にまみれるのではないかとの危機感から、カゼミは気が気でない日々を過ごした。そこに追い打ちをかけるように、人と人のつながりさえも分断する新型コロナ禍が到来した。感染状況が深刻なイラン国内で連日数百人が命を落としていた時期、妻セイエデファテメ（38）は客足が戻らないカスピアンの片隅でよく泣いた。

テーブル4卓とカウンターだけのこぢんまりとした店内が、徐々にアットホームな賑わいに満たされていく。母国のレストランで勤務歴のあるセイエデファテメが腕を振るった家庭料理が次々に並び、ムードメーカーのカゼミが流暢な日本語で会話を盛り上げる。

土曜のディナータイムが幕を開けたカスピアンで、夫妻は苦労続きの悲壮感を見せなかった。飲食業界が試練を迎えている中でも、マスクを付けた常連客が一人また一人と姿を見せた。草の根交流の創業理念も、なお健在のようだ。

来店をきっかけにペルシャ語の授業を取った大学生の話を、カゼミがマシンガントークの隙間に嬉しそうに挟んだ。リビング代わりにそこかしこでくつろぐ長女アーワ（8）と次女ヒーラ（5）が繰り出すちょっかいに、心得た様子の常連客が柔軟に切り返した。客でもないのに油を売りに来たイラン人男性が、ふらりとまたどこかへ出掛けていった。大御所的な雰囲気を醸し出す会社経営の日本人男性が、ほろ酔い気分で約1千年前のペルシャ詩人オマル・ハイヤームの詩集「ルバイヤート」に言及してみせた。

大人と子ども、日本語とペルシャ語、はたまた仕事場とプライベート。多様なものがまとまりなく混ざり合い、気まぐれに姿形を変えていく空間は、日本から遠く離れているイランという国そのものを彷彿とさせた。

つい時間を忘れて長居してしまったことに気付き、慌てて勘定を済ませると、かわいい盛りのヒーラが小さな手で「バイバイ」とハイタッチをねだってきた。帰り道、いつの間にか心がほかほかと温まり、また一つイランのことを好きになっている自分に気付く。きっと常連客は皆、同じ思いを抱いているに違いない。カスピアンを素敵な異文化交流の場と言わずして何と言おう。

「もっと人と人が仲良くなれば、世界は平和になる」。どこか使い古されたようなフレーズも、カゼミが自身の半生を乗せて口にすれば、むべなるかなである。異邦人でありながら日本社会に根を張り、私たちと隣り合わせでまっすぐに生きる彼らの存在は、何もかもが不確かな時代だからこそ余計に頼もしく思えてくる。

おわりに

実を言えば、イランは望んでいた赴任先ではなかった。紛争地取材を志して報道の世界に入った私は、人道危機が拡大するシリアやイラクを継続的にフォローできるカイロ支局が第一志望だった。念願が叶うかもしれないとの噂に舞い上がり、現地語であるアラビア語のレッスンを意気揚々と受講していたさなか、人事異動の内示は寝耳に水だった。同僚や友人と別れを惜しみ、東京から旅立っていく私は、必ずしも明るい顔をしていなかったに違いない。

だが、赴任して取材を重ねるにつれ、イランという国の魅力に引き込まれた。動乱の時代を生きる取材相手の姿は、独特の輝きを放っていた。幾度も人生の妙味に触れ、救われる思いがした。仕事や駐在生活の苦労も予想以上ではあったが、何も知らないまま身勝手に気落ちしていたかつての自分を恥じ入るばかりだ。

ある時は生きるか死ぬかの状況下、またある時はリスクを承知の上で、彼らはよそ者である私に胸の内を語ってくれた。赴任期間を終えた後、はたして取材者として彼らの思いに十分報いることができていただろうか、との思いが膨らんだ。

現地から東京に日夜送っていた原稿は、長めの読みものや特集でも千数百字ほどのボリュームだった。必要なファクトを余すことなく盛り込み、読みやすいように構成を整え、文章の贅肉をそぎ落としていく。その日その日の限られた新聞紙面に掲載されるためには、なくてはならない作業だった。ただ、配信記事に収容しきれなかった「余白」にも、現場のにおいや人間の息づかいはあふれていた。

本業の取材も何かと慌ただしく、週末や休暇をつぎ込んでの執筆作業となったが、このたび一冊の新書という形にまとめることができた。イランを離れる際に置き残した大切な忘れ物を、ようやく取りに戻れた思いだ。出版に向けて優しく伴走し、折に触れて的確な助言をくださった平凡社新書編集部の金澤智之編集長には、心からの感謝を申し上げたい。


向き合えば向き合うほど、中東の地域大国イランはさまざまな表情を見せた。十八番のポーカーフェイス、束の間だけ浮かべる印象的な泣き笑い。好戦的な獣の目つきをしていることは確かに多いが、瞳には孤独や哀愁の色彩もよぎる。情け無用のしかめ面をしていたかと思えば、別の場面では鷹揚な温顔を浮かべている。

いくつもの相反するエッセンスをはらんだ、多重構造で複雑な政治・社会システムならではだろう。まるで百面相のようにころころと顔つきが変化し、眺めるたびに新たな発見がある。少なくとも一つ二つの常套句で乱暴に定義付けはできないし、当て推量に頼ってしまうのは危うい。それが現場で探り当てた「反米宗教国家」の素顔だ。

世界でまたとないイスラム革命体制は、誕生40年の節目を経てどんな足跡を描いていくのだろう。この国の「これから」を一緒に見つめていく仲間が、本書がきっかけとなって一人でも増えるならば望外の喜びだ。

最後に、本書の内容は共同通信の見解とは一切関係なく、責任はすべて筆者が負うことを明記しておく。

新冨哲男

【著者】
新冨哲男（しんとみ てつお）
1983年佐賀県生まれ。早稲田大学政治経済学部卒業。2006年共同通信社入社。大阪社会部、外信部を経て、16年7月から18年8月までテヘラン支局長。現在は政治部で首相官邸を担当。本書が初めての著作となる。

平 凡 社 新 書 9 9 2

イラン
「反米宗教国家」の素顔

発行日——2021年12月15日 初版第1刷

著者——新冨哲男
発行者——下中美都
発行所——株式会社平凡社
東京都千代田区神田神保町3-29 〒101-0051
電話 東京（03）3230-6580［編集］
東京（03）3230-6573［営業］
振替 00180-0-29639
印刷・製本—株式会社東京印書館
装幀——菊地信義

ISBN978-4-582-85992-8
NDC 分類番号312.272 新書判（17.2cm） 総ページ264
平凡社ホームページ https://www.heibonsha.co.jp/